GW00585029

Coleção «Uma Aventura» — volumes publicados:

1. Uma Aventura na Cidade
2. Uma Aventura nas Férias do Natal
3. Uma Aventura na Falésia
4. Uma Aventura em Viagem
5. Uma Aventura no Bosque
6. Uma Aventura entre Douro e Minho
7. Uma Aventura Alarmante
8. Uma Aventura na Escola
9. Uma Aventura no Ribatejo
10. Uma Aventura em Evoramonte
11. Uma Aventura na Mina
12. Uma Aventura no Algarve
13. Uma Aventura no Porto
14. Uma Aventura no Estádio
15. Uma Aventura na Terra e no Mar
16. Uma Aventura debaixo da Terra
17. Uma Aventura no Supermercado
18. Uma Aventura Musical
19. Uma Aventura nas Férias da Páscoa
20. Uma Aventura no Teatro
21. Uma Aventura no Deserto
22. Uma Aventura em Lisboa
23. Uma Aventura nas Férias Grandes
24. Uma Aventura no Carnaval
25. Uma Aventura nas Ilhas de Cabo Verde
26. Uma Aventura no Palácio da Pena
27. Uma Aventura no Inverno
28. Uma Aventura em França
29. Uma Aventura Fantástica
30. Uma Aventura no Verão
31. Uma Aventura nos Açores
32. Uma Aventura na Serra da Estrela
33. Uma Aventura na Praia
34. Uma Aventura Perigosa
35. Uma Aventura em Macau
36. Uma Aventura na Biblioteca
37. Uma Aventura em Espanha
38. Uma Aventura na Casa Assombrada
39. Uma Aventura na Televisão
40. Uma Aventura no Egito
41. Uma Aventura na Quinta das Lágrimas
42. Uma Aventura na Noite das Bruxas
43. Uma Aventura no Castelo dos Ventos
44. Uma Aventura Secreta
45. Uma Aventura na Ilha Deserta
46. Uma Aventura entre as Duas Margens do Rio
47. Uma Aventura no Caminho do Javali
48. Uma Aventura no Comboio
49. Uma Aventura no Labirinto Misterioso
50. Uma Aventura no Alto Mar
51. Uma Aventura na Amazónia
52. Uma Aventura no Pulo do Lobo
53. Uma Aventura na Ilha de Timor
54. Uma Aventura no Sítio Errado
55. Uma Aventura no Castelo dos Três Tesouros
56. Uma Aventura na Casa da Lagoa
57. Uma Aventura na Pousada Misteriosa
58. Uma Aventura na Madeira
59. Uma Aventura em Conímbriga

a publicar:

60. Uma Aventura no Palácio das Janelas Verdes

Ana Maria Magalhães
Isabel Alçada

na falésia

Ilustrações de
Arlindo Fagundes

CAMINHO

22.ª edição

Título: Uma Aventura na Falésia
Autoras: Ana Maria Magalhães e Isabel Alçada

Ilustrações: Arlindo Fagundes

Pré-Impressão: Leya
22.ª edição
Tiragem: 2000 exemplares
Impressão e acabamento: Multitipo
Data de impressão: março de 2017
Depósito legal n.º 422 592/17
ISBN 978-972-21-0002-1

Editorial Caminho, SA
Uma editora do grupo Leya
Rua Cidade de Córdova, n.º 2
2610-038 Alfragide – Portugal
www.caminho.leya.com
www.leya.com

Às queridíssimas
Adelaide, Joana e Mizé

Capítulo 1

Umas férias inesperadas

Uma empregada, com a bata cinzenta das contínuas, entrou na aula com uns papéis e dirigiu-se à professora, falando-lhe em voz baixa.

Os alunos pararam todos de escrever e olharam com moleza na sua direção. Estava um dia cinzento, de luz parda, que não dava vontade nenhuma de trabalhar. Chico já tinha olhado mais de vinte vezes para o relógio, mas os ponteiros pareciam não avançar.

— Isto hoje não ata nem desata... — queixara-se num murmúrio para o Pedro, que se limitou a suspirar e a rebolar os olhos.

— Há dias assim, chatos! — dissera o colega de trás, que tinha ouvido a conversa.

Até a professora não parecia lá muito convencida do que estava a fazer.

— Ora prestem atenção, que vou ler um aviso — dissera ela naquele preciso momento.

— O que será agora — resmungou o Chico.

A professora começou a ler em voz alta:

— «Avisam-se todos os alunos que, em virtude de terem rebentado alguns canos, a escola tem de fechar uma semana para obras...»

Uma gritaria interrompeu imediatamente a leitura.

— Calma! — disse a professora. — Calma!

A empregada pegou nos papéis e retirou--se, olhando-os por cima do ombro com ar reprovador.

«Só querem é paródia!»

A aula inteira ficara agitadíssima. Que maravilha! Uma semana de férias assim a meio do período!

— Bem, já que vão ter uns dias de folga tratem de trabalhar agora — continuou a professora. Mas os seus olhos diziam que também ela estava contente com o descanso forçado. — Vamos lá antes de mais nada a escrever isto nos boletins de informação...

Mal tinham acabado, a campainha irrompeu pelo ar varrendo os pátios e as salas como uma onda de som, que lhes pareceu mais viva e alegre que de costume. Anunciava «férias extra»!

Saíram todos de roldão, com um sorriso de orelha a orelha, de encontro aos colegas das outras turmas, tentando adivinhar-lhes na cara se já sabiam da grande novidade.

A agitação em direção aos portões era indescritível. No meio dos encontrões e empurrões, alguns atiravam as pastas ao ar ao mesmo tempo que gritavam:

— Viva!

— Vivam os canos rotos!

— Vou para férias repartidas!

Uma chuva miudinha associou-se à barafunda, precipitando ainda mais a saída.

— Vó, vó! Tenho ótimas novidades, vó!

O João anunciara a sua chegada a casa entrando numa correria pelo portão com o *Faial* atrás.

— Vó! Onde é que se meteu?

A avó espreitou a janela da cozinha e dirigiu-se imediatamente para a porta da entrada.

— Credo, filho! Em que estado estás. Quantas vezes é preciso dizer para não andares à chuva sem casaco!

O João agarrou-se à avó mal entrou na cozinha, arrastando-a numa espécie de dança que a fez dar um giro completo, não a deixando continuar com a reprimenda.

— João, para, filho! Queres fazer-me tropeçar!? — exclamou, soltando-se das mãos do neto e ajeitando o carrapito branco com um gancho que ameaçava cair.

A avó do João nunca se zangava mais do que dois minutos, como o neto costumava dizer.

— Então, qual é a novidade tão importante que te obrigou a andar à chuva com o casaco na mão? — perguntou, sorrindo, com ar cúmplice.

VIVAM OS CANOS ROTOS!
VIVA!
VIVA

— Vó!, vamos ter mais uma semana de férias! — exclamou o rapaz, com a respiração ainda alterada pela correria à chuva.

— O quê, João! Não pode ser. Ainda há tão pouco tempo acabaram as férias de Natal, como é que vais ter mais férias?

— Estou-lhe a dizer, vó. Hoje, na escola, a diretora de turma anunciou esta maravilhosa surpresa. Até escrevemos no boletim para os «encarregados». Quer ver?

Juntando o gesto à palavra, o João despejou o saco dos livros em cima da mesa, procurando o caderno de Português, onde tinha escrito a informação.

— Olhe, está aqui — continuou, exibindo a primeira página.

Boletim de informação

Devido à necessidade de se efetuarem obras de reparação nas canalizações da escola, na próxima semana não haverá aulas.

A avó leu em voz alta.

— Não entendo. Não podiam fazer as obras noutra altura? Assim não aprendem nada, filho. Têm muito mais tempo de férias do que de aulas!

— Vó, pare com isso. Aulas é o que há mais. Foi uma ideia excelente, digo-lhe. De resto, os canos romperam-se e não podiam esperar...

O João continuava saltitando pela cozinha, fazendo gestos de entusiasmo, sem reparar que estava a molhar o chão todo.

— Atchim!

— Já despir! Seu malandrim! Estás aqui estás doente e passas essas férias na cama com febre. Não ganha juízo este meu neto!

Continuando a resmungar, empurrou o João para o quarto e pegou num pano para limpar o pelo do *Faial*, que ainda escorria.

— O pior é que estas férias começam já depois de amanhã e não houve tempo de fazer planos — gritou o João, do quarto, enquanto a avó se debruçava para o forno, espreitando a cozedura do bolo que tinha feito para o lanche.

— As gémeas, o Pedro e o Chico vêm cá ter para combinarmos qualquer coisa. Há lanche para todos? — perguntou da porta.

— Não! Hoje não há nada para ninguém.

Vocês só querem é divertimentos, só pensam é em coisas boas e quanto a trabalho...

— Ah, sim?! Então porque é que me cheira a torta de laranja? — inquiriu, sorrindo, com ar de desafio.

Um barulho de passos fê-los parar a conversa, enquanto o *Faial* se levantou, num salto, agitando a cauda, e colocou o focinho junto à porta da entrada.

— João! Dona Alzira! Somos nós! — a voz da Teresa foi abafada pelo latir do *Caracol*, que entrou, sacudindo o pelo, mal o João abriu a porta.

— Safa, que esta chuva miudinha parecendo que não molha... — a Luísa fechou o guarda-chuva, colocando-o debaixo do alpendre, e cumprimentou com um beijinho a avó do João.

— Ora vivam, minhas lindas. Então, também estão contentes com as férias forçadas?

— Bem... — começou a Teresa, procurando não deixar imediatamente transparecer a sua alegria.

— Olha que sonsinha! — interrompeu logo o João. — Se calhar vais dizer que preferias as aulas, não? Com a minha avó não precisas de fazer conversa para adulto ouvir...

— João! João! — o Pedro e o Chico anunciavam a sua chegada, gritando ainda da rua.

Na mesa da cozinha, um fervedor com cacau quente, um cestinho de fatias de pão e um prato comprido com uma torta enroladinha, escorrendo doce de laranja, atraíam olhares gulosos.

— Que maravilha! — exclamou o Chico, aproximando-se da mesa.

— Lavem as mãos aqui mesmo no lava-loiça e sentem-se, filhos — convidou a avó.

Até os periquitos pareciam querer participar no lanche, saltitando com gritinhos na gaiola, debicando a comida e bebendo golinhos de água.

«A cozinha do João parece mesmo um paraíso», pensou o Chico, olhando em volta, enquanto trincava uma fatia de pão barrada de geleia de maçã. Os autocolantes alinhados nos azulejos brancos pareciam-lhe os mais bonitos que já vira.

— Então, alguém tem alguma ideia para a semana? — perguntou o Pedro, olhando para os amigos. — Não podemos desperdiçar estes dias.

— Parece que o tempo vai mudar disse a Luísa. — Ontem no boletim meteorológico disseram que na próxima semana vai haver sol.

— Talvez pudéssemos ir acampar — sugeriu o João, inspirando o fumo do cacau.

— Lá estás tu com ideias — cortou a avó. — Acampar no inverno...

— Mas se vai estar sol... — insistiu, sem grande convicção, tanto mais que os olhares dos amigos davam razão à avó.

— Bom, ficamos aqui no bairro, mas temos de arranjar alguma coisa para fazer.

Arranjar alguma coisa para fazer! Era sempre esse o problema dos dias em que não havia aulas. A avó conhecia-o bem. Quantas vezes o neto ficava ali, sentado na soleira da porta a fazer festas na cabeça do cão, suspirando, suspirando.

— Não podemos ter sempre férias como as da Quinta da Amendoeira ([1]) — lamentou o Chico.

— Nem eu queria! Aventuras sim, mas quando me lembro do que nós passámos quando ficámos presas naquele buraco tenebroso... — exclamou a Luísa.

— De qualquer maneira, era porreirinho se pudéssemos ir para qualquer sítio... sair do bairro...

— Joga-se à bola! — exclamou o Chico, esticando o queixo em direção das gémeas e dando uma sonora gargalhada.

— Machista! Pensas, se calhar, que não gosto de jogar futebol, mas enganas-te. Já entrei num torneio feminino, lá na escola, e jogava à avançada!

— Avançada! — troçou o Pedro. — Lá avançada queres tu ser, mas no futebol... faltam-te pernas.

— Acabem com isso — interrompeu a Teresa. — Temos de fazer o plano para as férias. Não me parece que jogar à bola seja um plano.

([1]) Uma Aventura *nas Férias do Natal*, n.º 2 desta coleção.

— Já parou de chover. Vamos dar uma volta para ver se descobrimos alguma coisa interessante — propôs o Pedro, pousando o copo no lava-loiça.

Pela janela a avó ainda pôde ver o grupo passar em frente do jardim, conversando sempre, mas com um ar um tanto desanimado.

Capítulo 2

No cabo Espichel

— Co-co-ri-có.

— Luísa, acorda. Já é dia, não ouves o galo?

— Ah?! Também não é preciso levantarmo-nos mal o Sol nasce — respondeu a irmã, espreguiçando-se na cama e aninhando-se imediatamente para continuar a dormir.

— Vamos chamar os outros. Achas que conseguimos sair sem acordar a avó do João? Adoro aquela senhora. Parece que tem todas as idades. Dá-se bem com toda a gente.

— Se não fosse ela, tínhamos ficado lá no bairro a olhar uns para os outros.

— Viste o sítio ontem à noite?

— Não. Estava muito escuro e eu quase não conseguia abrir os olhos, com sono. O pai do Pedro foi muito simpático em nos trazer naquela carrinha, mas vínhamos tão apertados... Ainda me doem as costas.

A porta do quarto entreabriu-se devagarinho e uns cabelos brancos surgiram.

— Já estão acordadas? Bons dias. Então que tal acharam a cama, dormiram bem?

— Bom dia, dona Alzira — responderam as gémeas.

— Dormimos maravilhosamente — acrescentou a Teresa, sentando-se e ajeitando a almofada nas costas.

— Que tal acham a casa do meu primo Raimundo? É pequenina mas está-se cá bem, não é? Posso abrir a janela?

Uma claridade intensa inundou o quarto.

As gémeas esfregaram a cara e foram olhando em volta. Era uma divisão pequena, de paredes caiadas. No teto, um candeeiro de pano balouçava levemente. A cama de casal, as duas pequenas mesas de cabeceira e a arca azul pintada com flores vermelhas enchiam totalmente o quarto.

— Os rapazes já acordaram? — perguntou a Luísa, ainda deitada.

— Não, mas já são quase nove horas. Para quem ontem garantia que nem um segundo se iria perder...

Uma cabeça despenteada surgiu, de repente, por detrás do vidro da janela.

— Quem é que está a dormir? Nós os três já explorámos os arredores com o *Faial* e o *Caracol*. O que julgam?

— Saltámos logo de manhã pela janela para não vos acordar — gritou o João, pondo-se em bicos de pés e tentando olhar para dentro do quarto.

— Não esperaram por nós? — perguntou a Luísa, levantando-se num salto e fechando as portadas da janela, com ar amuado.

Em pouco tempo o grupo ficou completo. Saíram para a rua com os cães à frente, que corriam em ziguezague, farejando todos os cantos. A casa do primo do João era na Azoia, uma pequena aldeia muito branca perto do mar. No verão enchia-se de pessoas da cidade que vinham passar férias. Mas no inverno poucos eram os que ali viviam.

— Conheces bem isto, João?

Com ar orgulhoso, o João olhou para o Pedro, enchendo o peito.

— Então não havia de conhecer? Passo sempre as férias aqui em casa do primo Raimundo. Uma vez até cá estiveram também os meus pais.

A Teresa e a Luísa já tinham reparado que os olhos do João ficavam sempre baços quando falava dos pais. Vivia com a avó desde pequenino, desde que eles tinham emigrado para a Alemanha.

— O primo Raimundo trabalha numa fábrica perto da cidade, mas nas férias vem sempre para aqui. A casa era do pai dele, que morreu quando eu tinha cinco ou seis anos.

— Costumas ir à praia?

— Aqui perto só há uma praia pequena, de calhaus. Chama-se praia do Lagosteiro. Mas

?
QUEREM ALGUMA COISA DAQUI ?
QUE CASAS TÃO ESTRANHAS...

quem quiser ir de carro ou camioneta pode ir a Sesimbra, que fica a doze quilómetros.

— Então e o tão falado cabo Espichel?

— O cabo Espichel é aqui adiante. A Azoia é a aldeia que fica mais perto... podemos ir a pé...

— E a praia do Lagosteiro?

— É lá também. O cabo é escarpado, é um pontão enorme, redondo. Se descermos por uma ravina que fica à direita, vamos dar à praia. Olha, o mar já se vê ali adiante!

Os olhares dirigiram-se para onde o João apontava. Deixaram o caminho que vinha da aldeia e aceleraram o passo.

— Que maravilha! — exclamou a Luísa. — Nunca me canso de ver o mar.

A aldeia ficara para trás. Apenas se avistavam terras cobertas de um tojo rasteiro muito verdinho, e ao fundo uma encosta escarpada e o oceano.

— Já repararam que o mar não é verde nem azul? — comentou a Teresa.

— Nunca imaginei que isto fosse assim — respondeu o Chico. — A rocha parece pintada de tons vermelhos e aqueles sulcos fazem uns desenhos esquisitos.

O grupo parara junto à falésia observando atentamente a paisagem. Ao longe, para a esquerda, avistavam-se várias construções antigas e, mais adiante, destacado, erguia-se imponente um farol.

— É ali o cabo Espichel, João?

— Estás muito interessado! Fica ali mais adiante. Se andarmos pela falésia vamos ter à tal praia de calhaus, onde no verão costuma haver barcos de pesca. É a tal praia do Lagosteiro. Do outro lado é o santuário e logo a seguir o farol.

Ofegantes, subiram uma pequena encosta íngreme e entraram, de língua de fora, num terreiro que tinha uma igreja enorme ao fundo e uma ala de casas velhas, todas iguais, de cada lado.

— Que casas tão estranhas, todas iguais, meio abandonadas. Que seria isto?

— Então, é o santuário! — disse o João. — Não é, Pedro?

— Pois, eu já sabia. Vi num livro que tem o meu pai. Aqui vinham muitos peregrinos, e estas casas foram feitas para os albergar.

— Mas o que são peregrinos?

— São pessoas que vinham rezar. Dizem que houve aqui um milagre, mas não sei bem o que foi.

As gémeas tinham-se aproximado das casas e estavam a espreitar para dentro de uma porta meio arrombada.

— Querem alguma coisa daqui? — exclamou uma voz esganiçada.

Voltaram-se todos, surpreendidos. Vivia ali gente?

Na frente deles estava uma velha esquelética, com uma roupa preta muito suja, enrolada num xaile de lã grossa.

— Bom dia — balbuciou o Chico.

— A senhora mora aqui? — perguntou o Pedro, admirado.

— Então não veem que sim? Mora aqui muita gente! Aí umas dez pessoas...

Olharam todos em volta, mas não viram ninguém. Só algumas galinhas esgravatavam o chão.

— Mas as casas parecem em ruínas.

— E até já estiveram pior — respondeu a mulher, aconchegando o xaile —, e nós já cá morávamos.

— Achas que é uma bruxa? — sussurrou a Luísa ao ouvido da irmã.

— Cala-te, que ela ouve — respondeu o Chico, dando-lhe uma cotovelada.

— Mas que parece, parece... — continuou a Teresa, fascinada com aquela figura de preto.

Pedro, para disfarçar, esforçava-se por fazer conversa.

— A senhora... hã... sabe alguma coisa do milagre?

— Sei.

As gémeas ficaram perdidas de riso.

— Sabe, mas não diz... — bichanaram para o Chico. — É mesmo bruxa.

— E não nos pode contar como foi? — continuava o Pedro, batendo com os pés no chão para se aquecer.

— Se forem ali adiante, mesmo à pontinha do cabo, veem as marcas do milagre. Estão lá!

Todos aguardavam em suspenso a continuação da conversa.

— Não querem lá ir?

— Queremos, queremos. Mas para ver o quê?

— Ora essa! Vê-se bem as patadas do burro.

— Patadas do burro? — exclamou a Luísa, rebentando a rir.

— A menina não brinque, que estas coisas são sérias! — e a mulher fungou três vezes, com ar furioso, e avançou para a porta.

— Olhe, espere! — gaguejou o João. — Não ligue… elas são meio tontas... — acrescentou, baixando a voz.

A velha voltou-se e, sem olhar para elas, despejou, num jato de palavras:

— O milagre foi assim: há muitos anos, Nossa Senhora saiu do mar montada numa mula branca e meteu pela rocha acima. As pegadas ainda se veem bem. E fizeram uma capela do milagre. Boa tarde! — e, virando as costas, subiu a escada sem dizer mais nada.

Teresa e Luísa largaram à gargalhada. Os

rapazes puxaram-nas por um braço para se afastarem dali e seguiram em direção à igreja. Passaram por baixo de um arco e continuaram direitos ao mar.

— Parvas!

— Parvas porquê?

— Para que é que se puseram a rir assim? Parecia que estavam a fazer troça da mulher — ralhou o Pedro.

— Mas ela era cómica...

— Era cómica, não! É velha. E estava-nos a dar a explicação que nós lhe pedimos!

— Mas eu não acredito no que ela disse — ripostou a Luísa, olhando-o, atrevida.

— Não interessa se acreditas ou não! Ela acredita, e nunca se deve fazer troça do que os outros acreditam! — continuou o Pedro, tomando calor na discussão.

— E pode ter havido um milagre... — arriscou o João.

— Mas assim? Como ela contou? — disse Teresa, pondo-se ao lado da irmã.

— Pode não ter sido bem assim.

— Não interessa se houve milagre ou se não houve milagre! Não acho bem que se troce das pessoas, sobretudo das pessoas velhas!

As gémeas estavam um pouco embaraçadas, porque no fundo achavam que o Pedro tinha razão.

PARECE UM SUSPIRO ENORME!
QUEM ME DERA TER ASAS E LEVANTAR VOO

— Não foi por mal... — murmurou a Luísa, em voz baixa.

— Lá está a tal capela! — disse a Teresa para desviar a conversa.

— Parece um suspiro enorme! Que gira!

— Um suspiro?

— Sim, um bolo!

— Já estou com fome!

O Pedro avançou para a capela e pôs-se a espreitar por entre as grades.

— Não tem nada lá dentro, só azulejos e moedas no chão!

Chico debruçou-se sobre a rocha:

— Que sítio espantoso!

— É uma tara! — concordou a Teresa, inspirando fundo.

Apenas se ouviam os sons do vento e do mar, ao fundo, batendo de encontro aos enormes rochedos.

— Parece que estamos a uma altitude enorme. Quem me dera ter asas e levantar voo, ou poder mergulhar daqui! — gritou o João, agitando os braços.

— Isso! Era engraçado! Esborrachavas-te no fundo destas rochas. E o pior é que não conseguias saltar outra vez, como nos desenhos animados... — gracejou o Chico.

— Estou cheio de fome e não trouxemos almoço!

— Eu tenho aqui nozes!

— Nozes! Que rica ideia! Passa aqui umas!

Sentaram-se no chão e, com a ajuda de uma pedra, esmigalharam as cascas, e entretiveram-se a roer o miolo.

— Comam devagar, para render mais!

O resto do dia foi passado a explorar as redondezas da aldeia de Azoia. Meteram o nariz em todas as casas em ruínas, descobriram um velho celeiro meio desfeito, rodeado por uma cerca de colchões de arame ferrugentos, móveis partidos, fogões de lenha desconjuntados. João apanhou uma ferradura do chão e resolveu levá-la para casa para dar sorte à avó.

— Sorte era se tivéssemos também aqui uma aventura! — suspirou o Chico.

— Querias! Agora sempre que estamos juntos, trás!, acontecia qualquer coisa espantosa!

— E então? Porque não? Somos os melhores!

— Isso ninguém nega. Mas o melhor é irmos para casa, pressinto que temos petiscos deliciosos à nossa espera...

Capítulo 3

Um grito na noite

No caminho de regresso, resolveram fazer um desvio para ver o pôr do Sol no mar.

— Já viste que o Sol ilumina mais antes de se pôr completamente? — perguntou a Luísa, parando mesmo à beira de um enorme precipício.

— Era exatamente isso que eu estava a pensar! — respondeu a Teresa, fixando o pôr do Sol, com ar sonhador.

— Cuidado, olha se cais daí abaixo.

— Ia parar à praia do Lagosteiro...

— Mas ias transformada em carne picada.

— Senti um arrepio... é melhor irmos embora.

— Mas estás com frio?

— Não, não é do frio. Mas tive um pressentimento, há qualquer coisa estranha ali em baixo.

Olharam todos para a pequena baía que se desenhava no meio das rochas. Uma traineira aproximava-se devagar. Parecia trazer o motor desligado.

— É uma traineira. Mas está a escurecer muito depressa. Não se consegue ver bem.

— O que é que andará uma traineira a fazer aqui a esta hora? — perguntou o Pedro.

— Tem um ar muito suspeito, não acham?

— Não se vê ninguém e não se ouve o motor!

— Talvez não se ouça o motor, por causa do barulho das ondas — arriscou a Teresa, com ar pouco convencido.

Naquele momento, uma luz vermelha acendeu e apagou três vezes.

— Parece que está gente na praia.

— Escondam-se, abaixem-se aqui no meio do tojo — propôs o Pedro, estendendo-se ao comprido no chão.

A escuridão era quase completa. Da praia pareceu-lhes ver partir um pequeno bote em direção à traineira.

— É um barco... Aposto que estão a fazer qualquer coisa às escondidas!

— Será contrabando?

— Sei lá! Talvez!

— À pesca não andam eles!

— Já não consigo ver nada, está muito escuro! Olha, o farol acendeu agora mesmo...

Um facho de luz iluminou momentaneamente os barcos lá em baixo.

— Pareceu-me ver gente a passar da traineira para o bote...

— Schin... ouve!

«Tchlac.... tchalac....», os remos mergulharam com força no mar; via-se apenas uma luzinha encarnada oscilando e dirigindo-se para a praia.

— Quem serão?

Continuaram ali a espiar em silêncio. De repente, um grito agudo atravessou o ar.

— Que é isto? Estão a gritar...

— Parece alguém desesperado!

— Vamos lá abaixo?

— Estás doido? Agora, à noite, irmo-nos meter por essas escarpas abaixo!

— Temos de descobrir o que se passa! Se calhar, alguém precisa da nossa ajuda.

De novo um grito aflitivo cortou a escuridão.

— Que grito horrível! De certeza é alguém a ser espancado. Vamos lá — insistiu o Chico.

— Não podemos, Chico — afirmou, convicto, o Pedro. — Sem luz caímos por aí abaixo e se acendermos as lanternas espantamos a caça...

— Se não formos nós caçados — acrescentou a Luísa.

— Calem-se, não ouviram uma pancada?

Puseram-se de orelha à escuta. Não se ouvia mais nada. O silêncio apenas cortado pelo som das ondas parecia interminável.

— Só nos faltava mais esta. Apanhei com um pingo de chuva na cabeça.

QUE É ISTO?
PARECE ALGUÉM DESESPERADO...
VAMOS LÁ ABAIXO?

Uma chuva agressiva fustigou-lhes a cara. Teresa começou a tremer e a bater os dentes.

— Vamos embora... não aguento isto.

Levantaram-se todos, meio atarantados, sem saber o que haviam de fazer. A roupa estava a ficar ensopada. A escuridão era completa, mas as luzinhas da aldeia serviam de ponto de referência.

— Vamos, é melhor! Agora não podemos fazer nada!

Seguiram aos tropeções, afastando-se da falésia.

— Achas que já posso acender a minha pilha?

— Espera mais um bocadinho. Eu vou à frente, que conheço melhor o caminho, e, como não há árvores, é só ter cuidado com as pedras.

— Ui... — Luísa apoia-se com força no ombro do Pedro. — Acho que torci um pé.

— Deixa-te agora disso! Vamos, anda!

O grupo acelerou o passo e depressa chegaram à aldeia. Àquela hora não se via ninguém na rua. De uma ou de outra janela saía o som da televisão. A avó estava à porta, a ver se os via chegar, já muito aflita.

— Até que enfim! Nunca mais vinham! Não quero que andem por fora até tão tarde! Ainda por cima estão todos molhados! Ai a minha vida! Que contas é que eu vou dar aos vossos pais?!

Enquanto a avó resmungava, tinham entrado para a cozinha e ajudavam-se uns aos outros a despir os casacos.

— Cheira a sopa de feijão encarnado! Hum, que delícia!

João, com os cabelos colados à testa e as bochechas coradas, pediu:

— Ó avó, dê-me já uma chávena de sopa, antes do jantar.

— Ai, eu cá também quero!

— E eu!

— Qual antes do jantar! Vocês vão é jantar já. Mas primeiro mudem de roupa e lavem ao menos as mãos.

Pouco depois, sentados em volta da mesa, regalaram-se comendo a sopa deliciosa que a avó servira com uma concha funda de alumínio.

— A sopa está tão grossa que quase posso pôr a colher em pé!

— Que engraçadinho! Hoje estão com piadas novas!

— E eu que não gostava de sopa — suspirou a Teresa, esmigalhando uma fatia de pão de milho para dentro do prato.

Enquanto a avó acabava de fritar as batatas, de costas para eles, Pedro murmurou entredentes:

— Coitado do tipo que estava a gritar!

— O que é que lhe estariam a fazer? Amanhã temos de lá voltar e descobrir tudo!

— O melhor é averiguarmos se mais alguém ouviu aqueles gritos.

— Se calhar queres perguntar à bruxa! — disse a Luísa, com ar brincalhão.

A chuva engrossara e martelava agora com força nas vidraças. Sentiam-se quentes, aconchegados, ali a jantar, todos juntos naquela casinha da aldeia.

— Doem-me tanto as pernas! — comentou a Luísa. — A vocês, não?

— Eu estou a cair de sono! — bocejou o Chico.

— Tudo para a cama! — ordenou a avó, batendo as palmas.

— Olha o João, já está a dormir na cadeira!

Apesar da excitação daquele dia, não conseguira conversar mais sobre o assunto e caíra num sono profundo.

Capítulo 4

Conversa com o faroleiro

De manhã resolveram ir até ao farol. Talvez o faroleiro lhes soubesse dizer alguma coisa.

— Se ele vive no farol, deve saber o que se passa à volta — disse a Teresa, avançando devagar, rodeada pelos amigos.

— Porque? Pode não saber nada! Sempre ali metido naquela torre... — respondeu a Luísa.

— Quem te disse que está sempre ali metido? — perguntou o Pedro.

— Hã... ninguém... mas com certeza não pode abandonar o farol! Pode ser preciso a qualquer hora!

— Ah, sim? Mesmo de dia? — gracejou o Pedro.

Luísa encolheu os ombros e não respondeu. Iam-se aproximando em grupo, cada vez mais lentamente. Não sabiam muito bem o que haviam de fazer quando lá chegassem. Bater à porta? Gritar pelo faroleiro? Dizer logo quem eram e o que queriam? Ou seria melhor fazer um bocado de conversa primeiro, para disfarçar?

Todos pensavam no mesmo, mas nenhum dizia nada. Chico fazia saltar torrões de terra com a biqueira dos sapatos e Pedro assobiava baixinho.

Quando chegaram perto, estacaram.

O farol lá estava, grande, sólido, bonito mesmo! Ficava no meio de um terreiro, que tinha um muro de pedra em volta e um portão de ferro.

— E agora? — perguntou o João.

— Agora o quê?

— Ora! O que é que fazemos? Entramos ou não? — perguntou, de novo, o João.

— Entramos, pois, se não para que é que vínhamos aqui? — respondeu-lhe a Teresa, encostando-se ao portão.

— Ah, é!? Então e por que é que não entras e estás aí encostada?

— Entra tu primeiro, já que estás com tanta pressa!

— Bom, bom! Está-me cá a parecer que vocês estão com um ataque de parvoíce aguda! — interrompeu o Pedro. — Venham daí comigo, vamos bater àquela porta. Se nos mandarem entrar, muito bem. Se não mandarem, paciência.

— E se não mandarem? Não falamos com o faroleiro? — perguntou a Luísa.

— Logo se vê! Tu o que queres é falar seja com quem for...

— Ai, que parvo! Se calhar querias que ficasse na frente do faroleiro a pasmar, de boca fechada!

— Anda, deixa-te agora de conversa fiada!

O Pedro empurrou o portão e avançou resoluto para a porta do farol. Espreitou pelos vidros, mas não viu ninguém lá dentro. Os outros aproximaram-se e puseram-se igualmente à espreita.

— É uma sala!

— Parece!

— Está cheia de máquinas...

— Venham por aqui, damos a volta ao farol e entramos ali por trás.

— Achas?

— Acho, sim. Venham.

O Pedro avançou de novo à frente dos outros. Contornaram o farol e ficaram surpreendidos com o que encontraram. Nas traseiras havia seis casinhas todas iguais, uns canteiros cultivados com hortelã e um alpendre com três grandes tanques de lavar a roupa.

— Que engraçado! Ninguém diria que aqui por trás havia esta minialdeia.

— Ah! Ah! Ah! Uma aldeia só com seis casas...

— E então? — replicou a Teresa —, que é que tem?

— Para já, a tua minialdeia tem seis casas, mas parece que não tem gente — respondeu-lhe o Chico.

— Faz favor! — arriscou a Luísa.

E AGORA?
O QUE É QUE FAZEMOS?
ENTRAMOS

Nada, não se via ninguém.

Pedro, entretanto, tinha entrado na tal sala das máquinas por uma pequena porta entreaberta.

«Se eu fosse um ladrão, roubava aqui à vontade», pensou.

Mas do interior do farol surgiu um homem de fato-macaco e expressão jovial.

— Ora vamos lá a ver o que é que quer este meu amigo?

O Pedro fitou-o e engoliu em seco. O que havia de dizer?

Nesse momento, os outros apareceram à porta.

— Ah! Vejo que não vens sozinho! Entrem, entrem! São só vocês ou há mais?

— Não, somos só nós — respondeu o Chico, avançando para ao pé do amigo, à espera que este começasse a conversa.

As gémeas olhavam em volta um pouco dececionadas. Aquela sala cheia de máquinas era muito diferente do que tinham imaginado.

O faroleiro aproximou-se delas, com um sorriso.

— Será que eu bebi de mais e estou a ver as coisas a dobrar? Ou vocês são mesmo as duas iguaizinhas?

— Somos gémeas — murmurou a Luísa, com um sorriso amarelo.

O faroleiro também era bastante diferente do

que tinham imaginado. Era um homem ainda novo, não muito alto nem muito baixo. Tinha duas rugas fundas junto dos olhos, duas rugas que pareciam mais dois riscos na pele queimada do sol. Os olhos eram verdes mas de um verde-pardo, como o mar em dias de tempestade. Vestia um fato-macaco de ganga azul e parecia contente de os ver ali.

— Bom, então o que os traz por cá? — perguntou, girando sobre si mesmo, e olhando-os um por um.

— Viemos ver o farol. Pode ser? — perguntou o João.

— Claro, claro que pode. Mas, nesta altura do ano, não deviam estar na escola?

— A nossa escola está em obras por uma semana. Por isso viemos aqui passar uns dias na Azoia.

— Ah! Muito bem. Então vamos lá ver o farol. Mas antes não me querem dizer como é que se chamam? Eu sou Edgar Casaca.

E, num gesto de boas-vindas, apertou a mão a todos.

Parecia fácil afinal falar com aquele homem. Estavam ansiosos por lhe fazer perguntas sobre as luzes e os gritos que tinham ouvido a caminho da praia, mas como não sabiam como fazer as perguntas sem parecerem disparatadas, iam ouvindo o que ele dizia.

— Este homem fala pelos cotovelos... — segredou a Teresa à irmã.

— Ora, antes de mais nada, vamos olhar aqui para este mapa. Ora vejam, cabo Espichel. É onde nós estamos todos a conversar — disse o faroleiro apontando um local.

— Só há estes faróis? — perguntou o Pedro.

— Não, há mais. Estes são os principais. E sabem porquê?

— Não — responderam em coro.

— Porque iluminam 15 milhas ou mais, pelo mar dentro.

— E então os outros?

— Os outros, se iluminam menos de 15 milhas, são chamados farolins.

— E quanto é uma milha? — perguntou o Pedro, interessado.

— Uma milha são 1853 metros. Este farol ilumina 30 milhas de mar, portanto, 55 590 metros, ou seja...

— Mais de 55 quilómetros — acrescentou logo o Pedro.

— Bravo, vejo que tenho aqui um matemático que sabe fazer reduções!

— Mas não é assim muito — disse a Luísa —, o mar é tão grande!

O faroleiro riu-se.

— Não é tanto como seria desejável, mas

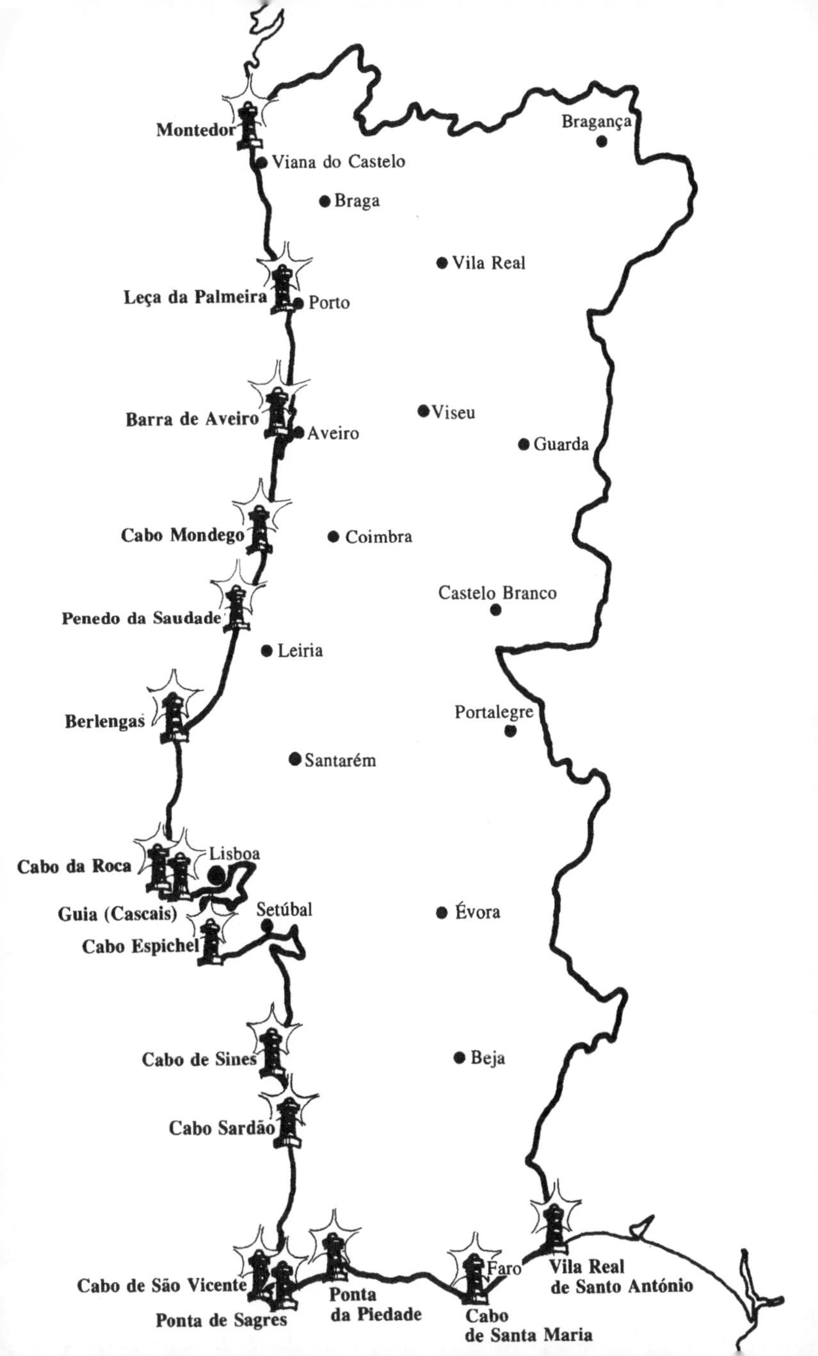
Montedor
Viana do Castelo
Braga
Bragança
Vila Real
Leça da Palmeira
Porto
Barra de Aveiro
Aveiro
Viseu
Guarda
Cabo Mondego
Coimbra
Castelo Branco
Penedo da Saudade
Leiria
Berlengas
Portalegre
Santarém
Cabo da Roca
Lisboa
Guia (Cascais)
Setúbal
Évora
Cabo Espichel
Cabo de Sines
Beja
Cabo Sardão
Cabo de São Vicente
Ponta de Sagres
Ponta da Piedade
Faro
Cabo de Santa Maria
Vila Real de Santo António

já não é mau! E agora venham aqui ver esta máquina que é muito interessante.

Olharam todos um bloco retangular cheio de botões e luzinhas. Na verdade, não lhes pareceu lá muito interessante.

— Esta máquina — continuou o faroleiro, entusiasmado — pode receber pedidos de socorro de qualquer ponto do oceano Atlântico. E pode enviar mensagens também para qualquer barco que esteja no mar...

— Como? Com um microfone? — perguntou o João, cheio de esperança de que o faroleiro o deixasse falar ao microfone com um barco.

O faroleiro riu-se outra vez.

— As mensagens são em morse! Sabes morse? — perguntou, como se tivesse lido o pensamento do João.

— Não — respondeu ele, desviando os olhos.

— Bom, esta é a nossa sala de trabalho.

— Nossa? Mas há mais faroleiros?

— Há, somos seis. Não viram as casas ali atrás? Cada um tem a sua casa.

— E vivem aqui com as famílias?

— Podemos viver, sim. Mas como todos temos filhos, as mulheres estão em Sesimbra para os filhos irem à escola. Vêm para aqui aos fins de semana ou nas férias.

— E os outros faroleiros? Onde é que estão?

— Uns foram à aldeia, outros andam por aí ou estão a dormir. Neste momento, estou eu de serviço.

— Ah!

— Mas vamos lá então ver o farol! Venham comigo.

O faroleiro dirigiu-se para uma porta de ferro que abriu e começou a subir uma escada de *Caracol* muito estreitinha. Só cabia um de cada vez, por isso subiam em fila. Ao longo da parede havia pequenas aberturas redondas por onde se via a terra cada vez mais abaixo.

As gémeas iam contando os degraus: 157... 158... 159....

— Que alto que estamos! — comentou o Chico, saindo para um varandim e respirando com prazer o fresco vento salgado que vinha do mar.

— É pena estar um pouco de nevoeiro, se não, daqui podiam ver a costa toda até Cascais.

— Quando está nevoeiro, os barcos não veem a luz do farol, pois não?

— Não, mas nessa altura pomos a funcionar uma espécie de buzina, quer dizer, uma sirene, nunca ouviram?

— Eu já — disse o Pedro. — É um apito forte, não é?

— É, é. E agora, se querem subir mais um bocado, vamos subir mesmo até à luz.

— Queremos, pois.

De novo em fila, treparam por uma escadinha de ferro, pintada de preto, que os conduziu ao topo.

Os passos faziam ranger levemente os degraus.

— Que cheiro...

— Cheira a tinta e a corda, que giro!

— É um cheiro a barco!

Estavam no meio de uma grande bola de vidro, que tinha ao centro uma espécie de olho gigante, facetado em muitos vidros miudinhos que faiscavam envolvidos em aros de cobre amarelo muito brilhante.

— Ora aqui têm o farol. É uma lâmpada fortíssima com estes prismas todos em redor. À noite acende-se e anda à volta. A luz facilita a navegação marítima e aérea.

— O quê? Também serve para os aviões?

— Serve pois! Para barcos e aviões.

— É formidável!

— Pois é — disse o faroleiro, tocando ao de leve nos suportes que envolviam a lâmpada. Sorria satisfeito. Parecia gostar verdadeiramente do farol e do seu trabalho como faroleiro.

— Mas todos os dias tem de subir até aqui para acender o farol?

— Não! O farol acende-se lá de baixo. Tenho de subir é para baixar estes estores de lona que protegem a lâmpada nos dias em que o sol está muito forte.

Repararam então que a toda a volta da casa do farol, junto às vidraças, havia tiras de lona branca suspensas que filtravam a luz e que podiam subir ou descer enrolando-se num pequeno pau.

— Agora vamos embora, que lhes quero mostrar outra coisa.

Com cuidado, para não tropeçarem, desceram de novo os 159 degraus.

Quando pousaram os pés em terra, ouviram um latido.

— Será o *Faial* ou o *Caracol*? Naturalmente vieram a nossa procura.

Mas na frente deles apareceu uma cadela enorme, peluda, a farejar e a dar ao rabo.

O João afagou-lhe a cabeça.

— É sua?

— É, é a minha companheira dos dias mais solitários. É uma cadela serra-da-estrela.

— Como é que se chama?

— *Lâmpada...*

As gémeas olharam uma para a outra e riram-se. Que nome tão próprio para a cadela de um faroleiro!

— O que é que nos queria mostrar, Sr. Edgar?

— Isto, isto, ora venham cá — disse ele, conduzindo-os até aos tanques de lavar a roupa.

— Mas isto são tanques! — disse o Chico, perplexo.

— Pois são. Mas não foram sempre tanques. Há muitos, muitos anos, antes de haver faróis, já se pensava em iluminar o mar para os barcos não se perderem, ou não se esborracharem contra as rochas...

— Mas como é que iluminavam o mar com tanques de lavar a roupa? — perguntou o João, admirado.

— Vocês são tão engraçados — riu o Sr. Edgar, divertido. — Isto não eram tanques, eram uns reservatórios de pedra. Enchiam-se de azeite, e enfiavam-se lá dentro umas torcidas muito grandes.

— Já estou a perceber, faziam uma espécie de lamparinas gigantes...

— Isso mesmo! Já vejo que esta gémea é espertinha.

A Teresa riu-se, satisfeita.

— Qual foi o primeiro farol que houve em Portugal? — perguntou o Pedro.

— Foi o Farol de São Vicente. Construíram-no os frades há quatrocentos anos. Mas antes já tinham tentado iluminar o mar à noite... Os frades deviam ser boas pessoas e tinham pena dos marinheiros que se aproximavam de mais das rochas e, quando viam que iam naufragar, já era tarde...

— E como é que faziam? Também era com azeite?

— Não, a primeira ideia desses frades foi fazerem grandes fogueiras. E depois, com um pano também muito grande, ora tapavam ora destapavam a fogueira. Quem estava no mar, via aquele pisca-pisca e afastava-se.

— Que giro...

— É giro, sim senhor. Há muitas histórias giras de faróis e faroleiros que eu lhes posso contar noutra altura. Mas agora não levem a mal, tenho que fazer.

— Sr. Edgar... — gaguejou o Pedro, avançando um passo para o faroleiro.

— Sim? Há algum problema?

Os outros avançaram também e rodearam o homem, olhando alternadamente para ele e para o Pedro.

— Então? Desembucha, rapaz — acrescentou ele, pondo a mão no ombro do Pedro para o encorajar.

— Sr. Edgar — continuou o Pedro, falando cada vez mais depressa, com medo de perder a coragem —, ontem à noite pareceu-nos ver umas luzes e ouvir gritos ali para os lados da praia do Lagosteiro. O senhor por acaso ouviu alguma coisa?

O faroleiro ficou muito sério a olhar para o Pedro. Não se percebia bem se estava admirado com a pergunta, se tinha ficado pensativo ou se estava zangado.

Nenhum se atreveu a quebrar o silêncio.

Esperavam, até que o faroleiro suspirou e disse:

— Olha lá, meu rapaz, queres repetir a pergunta?

— Com certeza — respondeu o Pedro, agora com voz mais firme —, queríamos saber se o senhor ouviu ontem à noite gritos a caminho da praia do Lagosteiro.

— Bom, venham comigo até minha casa. Ofereço-lhes um café quente, que lhes vai saber bem. O que tenho de fazer pode esperar um pouco mais...

Capítulo 5

Uma revelação inesperada

Entraram em casa pela porta das traseiras, diretamente para uma cozinha alegre e espaçosa. Via-se que era ali que o dono da casa passava as suas horas de folga. Junto da chaminé havia uns armários pintados de azul. Ao meio estava a mesa retangular, com cadeiras à volta. E num dos cantos uma outra mesa com ferramentas, a televisão e uma pequena estante, pendurada na parede, com livros e fotografias.

— Isto é a minha cozinha e a minha sala de trabalho. Ora sentem-se, estejam à vontade.

— A casa não tem sala? — perguntou a Teresa.

— Tem uma sala para a frente. A minha mulher quis comprar uma mobília completa... coisas de mulheres!

— E o senhor não gosta?

— Gosto, claro. É uma mobília bonita. Já lhes mostro. Mas a verdade é que atravanca tudo. Deixei de ter espaço para a minha mesa de trabalho... e então trouxe tudo para aqui. De resto, a cozinha é mais quente.

— O senhor faz outros trabalhos em casa?

— Faço, não vês? — perguntou ele, levantando um martelo no ar. — Nas horas vagas, sou carpinteiro. Aqueles armários fui eu que os fiz.

— E tantos livros... gosta de ler?

— Gosto, pois.

— Ai, eu cá não gosto nada — disse o Chico, instalando-se à mesa.

— Olha, eu quando tinha a tua idade também não gostava. Mas um dia, quando andava na escola de faroleiros, um professor disse-me assim: «Edgar, um homem ignorante é como um bicho, é preciso saber de tudo um pouco...» E eu fiquei a pensar naquilo.

— Não sabia que havia curso de faroleiro! — disse o João, admirado.

— Pois há. Hoje em dia há cursos para tudo. E é mesmo necessário! Agora, um faroleiro tem de mexer em máquinas como aquela que viste. Se fosse um analfabeto, como é que se arranjava?

— Lá isso é verdade!

— Mas sentem-se, que vamos comer e conversar de coisas sérias — acrescentou, baixando a voz.

Ficaram todos em pulgas. O homem, pelos vistos, tinha alguma coisa importante para lhes dizer, se não, não fazia tanto mistério!

Sentaram-se, impacientes, enquanto o Sr. Edgar punha na mesa chávenas, leite, café e açúcar. Retirou ainda do armário azul um pão redondo, queijo e marmelada.

— Ora, sirvam-se à vontade. Não tenho nada de especial para lhes oferecer, mas este queijo é uma maravilha!

E, sentando-se junto deles, começou a encher as chávenas.

Era agradável estar ali. Fazia frio, e uma bebida quente soube a todos muito bem.

O Sr. Edgar inclinou-se, apoiando os braços cruzados sobre a mesa, e começou então a falar em surdina:

— Há uns dias para cá tem-se passado coisas estranhas aqui à volta. Eu comecei a ficar desconfiado... Sabem que isto aqui, no verão, tem muito movimento. Há pessoas que passam férias nas aldeias vizinhas, aparecem turistas para visitar a igreja e as hospedarias, e há também o pessoal que trabalha na praia do Lagosteiro...

— Trabalhar na praia do Lagosteiro? Mas em quê?

— Vocês já lá foram? — perguntou ele.

— Já.

— Bom, então viram com certeza que o mar não é transparente. Ali há muitas algas. No verão, vêm barcos apanhar aquelas algas, que servem para fazer medicamentos. Não viram umas cabaninhas à volta da praia?

— Vimos, pois! Até estranhámos. Não sabíamos para que é que serviam.

— É para guardar as algas. São apanhadas na praia e, quando não há transporte, guardam-se dentro das cabanas, para não ficarem ao sol.

— E uma outra casinha, de pedra, que está na rocha?

— Essa é onde o pessoal guarda os seus instrumentos de trabalho, que são redes, ancinhos. Às vezes também lá guardam os remos dos barcos.

— Mas isso tem alguma coisa de especial? — perguntou a Teresa, cortando mais uma fatia de marmelada.

— Eu explico. Como eu estava a dizer, no verão aparece aqui muita gente. Mas no inverno, não. Só estamos os faroleiros e alguns velhotes que vivem naquelas casas, junto à igreja. Por isso é que eu estranhei...

— O quê? — perguntou o Chico, ficando com a chávena que levava à boca suspensa no ar.

— Espera, pá — disse o faroleiro, baixando ainda mais a voz. — Eu explico. Vi por acaso uns homens a caminho da praia do Lagosteiro, aqui há uns dias. Estava um frio danado e começou a chover. Eu estava lá em cima, no farol. Fiquei admirado e pensei assim: «Aqueles homens devem estar doidos! Quanto mais chove mais correm para a praia, em vez de voltarem para trás!»

— E depois? — perguntaram todos ao mesmo tempo.

— Depois...

Um arranhar na porta sobressaltou-os.

— Schiu... Não façam barulho!

Tornaram a arranhar na porta com força. Olharam uns para os outros, assustados, mas o Sr. Edgar pôs-se a rir.

— Ah, é a *Lâmpada*! Coitada! Tinha-me esquecido dela com a conversa!

Abriu-lhe a porta e a cadela entrou a abanar a cauda. Farejou-os amigavelmente e acabou por deitar a cabeça no colo do João que, encantado, lhe começou a dar bocadinhos de pão e de queijo.

O Sr. Edgar voltou a sentar-se, depois de espreitar para fora e de fechar a porta à chave.

O Pedro estranhou tantas precauções.

— Está preocupado com alguma coisa? — perguntou, erguendo as sobrancelhas.

— Estou, estou. Mas eu explico.

— O senhor estava a contar que viu uns homens a caminho da praia num dia de chuva.

— Pois, pois foi. Fiquei lá de cima a vê-los e a pensar se estariam doidos. Pois qual não é o

AQUELES HOMENS DEVEM ESTAR DOIDOS! QUANTO MAIS CHOVE MAIS CORREM PARA A PRAIA ...

meu espanto, quando um deles começa a tirar a camisola...

— A tirar a camisola? Para quê?

— Foi isso mesmo que eu pensei, para quê? Já chovia com força, e aquele tipo põe-se além no monte, em tronco nu, e começa a agitar a camisola de um lado para o outro. Ao princípio não percebi, mas depois é que eu vi a coisa!

— Qual coisa?

— Ele estava a fazer sinais aqui para o farol! Do sítio do monte onde estava ninguém o podia ver senão o faroleiro!

— E o senhor? Fez alguma coisa?

— Eu não! Também não sabia o que havia de fazer. Fiquei só a olhar. Não sei se eles esperavam alguma resposta. O certo é que ele vestiu a camisola, e largaram os dois a correr pelo caminho abaixo, direitos à praia.

— Mas que estranho!

— E depois?

— Depois é que é pior!

— O quê? O quê?

— Bom, fiquei a pensar. Se aqueles homens estavam a fazer sinais para o farol, é porque tinham alguma coisa combinada com um faroleiro...

— Lógico — murmurou o Pedro.

— Ora, se não era comigo, é porque era com um dos meus colegas...

— Muito lógico — voltou a murmurar o Pedro.

— Bom, se fosse um recado normal, podiam vir aqui e falar. Agora se preferiram fazer sinais de longe, e debaixo de uma carga de água, é porque não era boa coisa...

— Muito, muito lógico — disse o Pedro, agora em voz alta.

— É isso, meu rapaz! É isso! Agora vê lá tu a minha situação. Tinha de desconfiar dos meus próprios colegas, das pessoas com quem trabalho e com quem vivo aqui neste isolamento!

— Realmente, coitado!

— E o que é que fez?

— Olha, minha linda, fiquei lá em cima muito tempo a pensar. Seria contrabando? O que é que haveria na praia? Qual deles seria? Como é que eu havia de descobrir?

— E já descobriu alguma coisa?

— Descobrir, não descobri. Mas tenho andado alerta.

— E não fez nada?

— Fiz, sim. Olha, fui à praia, vasculhei por todo o lado, mas não vi nada de suspeito. Depois, comecei a tentar tirar nabos da púcara, como se costuma dizer...

— Nabos da púcara? — perguntou a Luísa.

— É como se costuma dizer quando alguém tenta saber o que se passa, em conversa, enfim, quando alguém tenta saber um segredo.

— E conseguiu?

— Não, não consegui nada. Puxei a conversa com os meus colegas, falei nuns homens que iam para a praia num dia de chuva...

— E eles?

— O mais velho disse que eu andava a ver coisas, que devia ser imaginação. Riu-se e não ligou.

— E os outros?

— Dois, o Zé e o Alberto, disseram que não era caso para pensar, porque há muita gente doida nesta terra!

— E os outros? Há mais dois, não é?

— É, um tem estado doente e foi para Sesimbra tratar-se. O outro também não ligou, disse que quem vai para a praia num dia de chuva é porque não tem que fazer e gosta de fazer maluqueiras...

— Será esse que está doente? Podia ter combinado estar na torre a fazer sinais, e como adoeceu...

— Também já pensei nisso. Mas tanto pode ser ele como outro qualquer. Quando um de nós adoece, os horários mudam todos. Se ele não tivesse adoecido, não sei quem é que estaria na torre do farol àquela hora.

— Mas não tem os horários antigos? Os horários de quando esse colega não estava doente?

— Não, desapareceram, o que também é estranho. Tenho andado a pensar muito neste caso, e agora aparecem-me vocês a dizer que viram luzes e ouviram gritos. Ainda fico mais desconfiado. Aqui há gato!

— O senhor não pode vir connosco à praia? Todos juntos talvez descobríssemos alguma coisa.

— Hoje não, que estou de serviço. Mas podemos combinar para amanhã.

— Espere — disse o Pedro, ajustando os óculos no nariz. — Tenho outra ideia.

— Então diz lá, Pedro.

— Ele tem sempre boas ideias — disse o João, olhando o amigo com orgulho.

— Se um dos seus colegas está metido numa trapalhice, já percebeu que o senhor anda desconfiado, não e?

— Lá isso...

— Pois é. Então não convém que nos vejam juntos. Se souberem que a gente se conhece, podem surgir problemas quando tentarmos desvendar o mistério.

— Então? Não queres que vá à praia com vocês?

— Quero. Mas não vamos juntos. Combinamos uma hora. O Sr. Edgar finge que vai passear e desce até à praia. Nós lá estaremos também. Exploramos aquilo tudo, cada um por seu lado, e depois, disfarçadamente, enfiamo-nos dentro de uma gruta ou atrás de uma rocha, para conversarmos sem ninguém nos ver.

— Eu acho bem! Tanto mais que hoje não estava por aqui ninguém. Não sabem da nossa visita — disse a Teresa.

— E se nos veem à saída?

— Ná, não deve haver problema. Eu fico aqui em casa e ponho a telefonia aos berros. Vocês saem aqui pelas traseiras e fingem que andam à procura de alguém. Se encontrarem um dos meus colegas, dizem que andavam a explorar estes sítios e que não viram ninguém. Combinado?

— Então amanhã a que horas? — perguntou o Pedro, já de pé.

— Às três horas. De manhã não posso, mas depois do almoço vou lá ter.

— O. K.! Vamos!

Saíram todos pé ante pé, e uma vez cá fora puseram-se a andar às voltas com um ar apatetado.

— E agora? Vamos embora ou ficamos aqui? — perguntou a Teresa, aproximando-se do Pedro e falando entredentes.

— Descontrai-te! Com esse ar comprometido não convences ninguém!

Nesse momento, ouviram a música da telefonia do Sr. Edgar Casaca, que atroava os ares. Riram-se uns para os outros e respiraram aliviados.

— Parece que não está por aqui mais ninguém...

O Chico ainda mal acabara a frase, quando um homem surgiu ao fundo, vindo de uma das hortas. João deu um salto para trás.

— Assustei-vos? Hã? O que é que andam aqui a fazer?

A pergunta não tinha nada de especial mas, como estavam desconfiados, aquele homem de enxada na mão parecia-lhes ameaçador.

— Hã... nós... queríamos ver o farol! — disse o Chico, gaguejando.

— Eh, pá. És gago ou estás com medo?

— Não, não...

— Não, o quê? — o homem riu-se. — Isso de ver o farol é com o Edgar. — E, avançando para a casa de onde eles acabavam de sair, bateu à porta e gritou: — Ó Edgar! Edgar!

O faroleiro berrou lá de dentro:

— Entra!

— Ena! Mas que barulheira! Resolveste dar um baile ao som da telefonia?

— O que é que queres? — perguntou o Edgar, chegando-se à porta, com uma expressão mal-humorada.

— São aqueles miúdos, queriam ver o farol. Como tu é que estás de serviço...

O Sr. Edgar olhou-os com uma expressão de desagrado, fingindo que não os conhecia.

— Outro dia! Hoje não, que me dói a cabeça!

— Para quem tem dores de cabeça, a música aos gritos não é o melhor remédio... — e, virando-se para os miúdos, acrescentou — nada feito! O Edgar hoje não está para vos aturar. Além disso, tem ali muita loiça para lavar, o lava-loiça, está a deitar por fora... — e, sem dizer mais nada, dirigiu-se de novo para a horta.

O Sr. Edgar fechou a porta da cozinha com força e eles afastaram-se rapidamente para longe do farol.

A caminho da aldeia, foram comentando os acontecimentos.

— Será aquele homem o ladrão?

— Como é que sabes que é um ladrão? Pode ser outra coisa...

— Pois pode, mas como não sei como lhe hei de chamar, chamo-lhe ladrão...

— Achas que ele desconfiou de alguma coisa?

— Sei lá, ele deu duas piadas duvidosas, a da música e a da loiça.

— E preciso cuidado.

João voltou-se para trás e fitou o farol, cuja luz se acendia naquele momento. Pareceu-lhe impossível ter estado lá e cima, tão alto, dentro daquele globo de vidro.

— Olhem onde a gente esteve!

Pararam todos e ficaram fascinados a ver aquele facho de luz que varria a terra e o mar num movimento rápido.

— De certo modo, nós tocamos naquela luz... — murmurou a Luísa, encantada.

— Na luz não, na lâmpada — corrigiu o Pedro.

— Estragas tudo!

— O quê? Deu-te agora para a poesia?

O Chico interrompeu a conversa:

— O melhor é pormo-nos a andar! Daqui a nada é noite!

— Mas o farol ilumina o caminho, se for preciso, lembra-te que aquele facho tem 30 milhas... — disse o João, acelerando o passo.

Os outros riram-se e acompanharam-no.

Capítulo 6

Na praia do Lagosteiro

Estava um frio danado quando, no dia seguinte, se dirigiram à praia. Tinham resolvido levar só o *Faial*. O *Caracol* era muito pequeno e podia atrapalhá-los; acabariam por ter de o carregar ao colo para não perderem tempo.

Desceram para a praia do Lagosteiro, mortos de curiosidade. O que iriam encontrar?

A meio do caminho avistaram o faroleiro que descia por uma encosta.

— Olha, lá vai o Sr. Edgar! — disse o João.

— O melhor é fazermos de conta que não o conhecemos, pelo menos por enquanto.

Seguiram pelo carreiro com ar descontraído, conversando e assobiando. Mas iam bem alerta a tudo o que os rodeava.

A praia estava deserta. Uma leve ondulação trazia flocos de espuma branca, que esvoaçavam ate pousar no areal. Lá estavam as cabanas destinadas a guardar algas e a casinha de madeira, empoleirada na rocha.

— Palavra que não percebo isto! Parece o lugar mais calmo do mundo, e no entanto não há dúvida que ouvimos gritos aqui, à noite...

— Olha, Pedro, sabes o que te digo? Se eu estivesse sozinho, acabava por me convencer que tinha sido tudo um sonho! — afirmou o Chico.

— Ora, ora! Todos a sonhar a mesma coisa, não?

— Pois...

— Chut! Calem-se!

O Pedro fez sinal aos outros que se agachassem atrás de uma cabana e pôs-se à escuta. Um «chlap, chlap» na água fazia crer que um barco se aproximava.

O João puxou o *Faial* pela coleira e obrigou-o a sentar-se ao pé deles.

— Vem aí alguém... — murmurou a Teresa, tentando espreitar por cima da cabeça dos outros.

— Baixa-te... não nos podem ver agora.
— Onde andará o Sr. Edgar?

— Deve estar por aí escondido também. Calem-se! — ordenou o Pedro.

Um pequeno bote a remos apareceu por fim. Trazia três homens. O barco aproximou-se da praia e, quando já estava suficientemente perto, um deles saltou para terra e começou a puxar por uma corda. Os outros juntaram-se-lhe e ajudaram a pôr o barco na areia. Eram três homens fortes, vestidos de escuro. Do seu esconderijo, seguiam a cena com a maior atenção.

O mais alto, que parecia ser o chefe, pegou nos remos e dirigiu-se para a casinha na rocha, ordenando aos outros:

— Guardem o barco numa das cabanas. Aquela ali, que fica mais perto do mar! Não queremos despertar suspeitas.

A Teresa deu uma cotovelada forte nas costas da irmã.

— Ai... — gemeu a Luísa.

O Pedro voltou-se e fulminou-a com um olhar.

As gémeas encolheram-se ainda mais.

«Quem me dera um buraco para me esconder», pensou a Luísa.

O João afagava a cabeça do *Faial* para o manter ali quieto.

O homem regressara já à praia. Pelos vistos, tinha guardado os remos na casinha das rochas. Para que seriam tantas precauções?

Os três juntos começaram a subir o carreiro em direção à aldeia.

Não se percebia bem o que diziam, mas o vento trouxe até eles o fragmento de uma frase:

— ... dali é que ele não consegue sair...

Quando desapareceram, Pedro respirou fundo e levantou-se.

GUARDEM O BARCO NUMA DAS CABANAS. NÃO QUEREMOS DESPERTAR SUSPEITAS...

— Ouviram? — perguntou aos outros.

— O quê?

— O que eles disseram. Falaram em não querer despertar suspeitas, e depois disseram qualquer coisa sobre não conseguir sair...

— Foi isso mesmo, eu também ouvi!

— E agora?

Hesitantes, tinham andado alguns metros, quando avistaram o faroleiro que emergia de trás de uma rocha. Trazia o mesmo fato-macaco e uma samarra. Acenou-lhes amistosamente. Mas tinha uma expressão grave.

— Ora bom dia! Calculo que viram o que passou?

— Sim, vimos tudo. Estávamos ali escondidos. O que é que acha disto, Sr. Edgar?

— Não sei, meus amigos. Mas boa coisa não é!

— Conheceu algum daqueles homens? — perguntou a Teresa.

— Não... nunca os tinha visto. Mas estou muito desconfiado.

— Podíamos chamar a polícia... — aventou o João.

— Pois podíamos. Mas para dizer o quê? Que vimos três homens a chegar à praia de barco? Ainda nos prendiam era a nós, por doidos!

— E então? Não fazemos nada? — insistiu o João, avançando para o meio do grupo com o *Faial* seguro pela coleira.

— Tens aqui um belo animal... — comentou o Sr. Edgar, afagando a cabeça do cão, com ar pensativo. — E pode-nos ser muito útil...

— Ai, pode, pode! Já tem sido noutras ocasiões!

— Hão de contar-me isso tudo, mas não pode ser agora. Agora temos é de achar um plano qualquer...

— É....

O faroleiro, de testa franzida, começou a passear pela praia, aos círculos, sem dizer absolutamente nada.

O João apanhou um calhau do chão e atirou-o para longe. *Faial* precipitou-se a apanhá-lo. As gémeas correram atrás dele pela areia, enquanto o Pedro e o Chico se afastavam em direção ao mar. Com o Sol encoberto parecia tudo cinzento.

— Está mesmo um dia próprio para uma aventura — comentou a Teresa, que seguia a irmã, tentando colocar os pés nas pegadas que ela tinha feito na areia.

— O que é que estás a fazer?

— Estou-te a seguir. Quem visse esta pista, julgava que só tinha passado por aqui uma pessoa... e tinham passado duas. Tínhamos passado as duas!

— É!

— Olha ali, Luísa! Na rocha que vai direita

à capelinha branca... não vês umas pegadas enormes?

— Vejo! Que giro!

— É giro, mas é esquisito! Na rocha não se deixam pegadas!

O faroleiro tinha-se aproximado delas no seu passeio silencioso.

— Sr. Edgar!

— Hã? — O homem olhou-as, sobressaltado. Parecia ter-se esquecido da presença dos outros na praia.

— Vê aquelas pegadas na rocha?

— Hã? Ah! Aquilo...

— O que será?

— Hã?

— O que serão aquelas pegadas na rocha?

Os rapazes e o cão aproximaram-se também, quando os viram a conversar.

— Já tiveram alguma ideia? — perguntou o Pedro.

— Não. Mas estávamos a ver uma coisa esquisita. Olhem lá para ali, não veem umas pegadas cravadas na rocha? — perguntou a Luísa de novo.

Os rapazes olharam na direção que as gémeas apontaram...

— É esquisito! O que será?

O Sr. Edgar riu-se.

— Dali não nos vem mal nenhum, não se aflijam!

OS DINOSSAUROS ERAM UNS BICHOS ENORMES!
E PASSEAVAM À BEIRA-MAR, PELOS VISTOS!
QUE HORROR!
?

— Sabe o que é aquilo? — perguntou o Chico, curioso.

— Sei, sei. Aquilo são pegadas de dinossauro, vejam lá! Parece até que são as únicas que há na Península Ibérica. São pegadas com muitos milhões de anos!

— De dinossauro? Palavra?! — as gémeas estavam espantadas.

— Como é que sabe? — perguntou o Pedro, com uma certa desconfiança.

— Li! Eu Não vos disse que gosto de ler? Um homem deve saber de tudo um pouco. Li muita coisa sobre o cabo Espichel. Aqui onde estamos, há muitos milhões de anos, andaram dinossauros a passear. E a prova está ali cravada na rocha.

— Os dinossauros eram uns bichos enormes, eu já vi num livro — comentou o João.

— Eram mais altos que um prédio! — acrescentou o Pedro.

— Que horror! E comiam pessoas? — perguntou a Luísa.

O Sr. Edgar voltou a rir-se.

— No tempo dos dinossauros ainda não havia homens na Terra. Comiam outros animais, se eram carnívoros, ou plantas, se eram herbívoros.

— E passeavam à beira-mar, pelos vistos — gracejou o Chico. — Já os estou a imaginar por aqui às voltas!

— Aqui até há uma lenda — continuou o Sr. Edgar. — Dizem que Nossa Senhora saiu do mar montada numa mula e que subiu pela rocha acima... e que as marcas são das patas da mula, mas as marcas da rocha não são de mula, são de dinossauro!

— Já sabíamos. Uma velhota falou-nos do milagre...

— Pois é, pode ter havido um milagre, mas não foi esse! — comentou o Pedro.

— O senhor acredita em milagres? — perguntou o João.

— Ora, meu rapaz, sei lá. Umas pessoas acreditam numas coisas, outras não. Cada um tem o direito de acreditar naquilo que quiser. Mas agora não temos tempo de falar nisso. Temos é de pensar o que havemos de fazer para descobrir este mistério!

— Eu tenho pensado... — começou o Pedro.

— Diz lá, pá! Parece que tens sempre boas ideias!

— Podíamos pegar no barco e nos remos, e ir dar uma volta por aí. Talvez encontrássemos alguma coisa suspeita.

— Hum... Não sei — respondeu o faroleiro. — Talvez seja boa ideia, mas não para já. O melhor era eu ir à aldeia primeiro, ver se descubro os homens. Vocês, se quiserem, fiquem por aqui. Eu dou uma volta, e depois venho ter convosco. Que é que acham?

— Não me parece mal. Como a aldeia é pequena, as pessoas devem conhecer-se bem. Se apareceram estranhos, com certeza notaram... — comentou o Pedro.

— Então fiquem alerta, hã? Não façam asneiras. Se eles aparecerem, escondam-se. Eu volto já!

E, sem esperar mais, o faroleiro afastou-se com passos largos.

Capítulo 7

Uma descoberta sensacional

Durante um bom bocado deixaram-se estar ali na conversa, sentados na areia. De vez em quando voltavam-se para ver se o faroleiro já lá vinha... mas nada. Começavam a ficar impacientes. Havia qualquer coisa para descobrir por trás do pontão, e ficaram ali a pasmar, já se estava a tornar chato. Chico levantou-se e espreguiçou-se:

— O homem nunca mais vem!

— Eu já estou farto de estar aqui!

— Se fôssemos ter com ele? — propôs o João.

— Aonde? — perguntou o Pedro. — Não sabemos onde é que ele está!

— Eu cá por mim, sabem o que é que fazia? — inquiriu o Chico.

— Ias para casa?

— Não, que ideia! Ia era buscar o barco e os remos e dava por aí uma volta... — arriscou.

Os outros fitaram-no, com os olhos a brilhar. Que proposta tão tentadora!

— Achas?

— Não será perigoso?

— Perigoso porquê? O mar está calmo, por agora não me parece que vá chover e eu e o Pedro sabemos remar...

— É — concordou o Pedro. — Parece-me que tens razão. Vamos a isso?

Não esperaram nem mais um minuto. Estavam todos mortos por entrar em ação. As gémeas treparam pela rocha acima direitas à casinha onde estavam os remos e os rapazes conjugaram os esforços para puxar o barco até ao mar.

— Ficas aqui de guarda, *Faial*! — disse o João, afagando-lhe a cabeça e fazendo um gesto para que se sentasse. O cão obedeceu.

Saltaram todos para dentro do barco, acomodando-se da melhor maneira.

O Pedro e o Chico, lado a lado no mesmo banco, agarraram os remos e davam um primeiro impulso.

O barco deslizou suavemente, afastando-se da praia.

— O melhor é não nos afastarmos muito — disse o Pedro, olhando em redor com um certo receio.

— Não te aflijas, não vai haver problema.

Deram a volta a um pontão arredondado, deixando de ver a praia. O mar, embora calmo, metia um certo respeito.

— Que solidão! Só água e rochas... — comentou a Luísa, com um arrepio.

— Vá, agora prestem atenção a ver se descobrem alguma coisa. Nós estamos muito ocupados a remar.

O João e as gémeas olharam em volta.

— Assim à primeira vista, não me parece...

A Teresa não acabou a frase. Dera com os olhos numa cavidade que parecia a entrada de uma gruta.

— Ali! Olhem ali! — gritou, pondo-se de pé e fazendo balançar o barco com força.

— Estás doida? — berraram os outros em coro. — Senta-te, que ainda nos viramos!

A Teresa acomodou-se de novo no barco.

— Olhem, é uma gruta!

O Chico e o Pedro concentraram os seus esforços para equilibrar de novo o barco, e depois voltaram-se, parando de remar.

— É... acho que tens razão. Vamos até lá. Mas ninguém mais se levanta, hã!

Com algumas remadas vigorosas aproximaram-se da entrada da gruta. Uma leve ondulação dificultava a abordagem. Balançando de um lado para o outro, os dois rapazes tentavam acostar, o que parecia difícil.

— O melhor é uma de vocês saltar e depois estender-nos a mão. Se não, tenho medo que o barco se espatife num destes bicos de pedra.

OLHEM, É UMA GRUTA!
SENTA-TE, QUE AINDA NOS VIRAMOS!

— Salto eu! — disseram as gémeas ao mesmo tempo.

— Está bem, primeiro uma e depois outra, mas saltem as duas. Cuidado! Vá!

A Teresa e a Luísa levantaram-se à vez, e com um pulo ágil passaram-se para a entrada da gruta.

— Agora deem as mãos uma à outra, puxem o João... vá!

Com todo o cuidado, conseguiram fazer o barco deslizar também e encalhar na rocha.

— Pronto! Já estamos em seco... Vamos!

A Luísa olhava aterrada para aquele buraco escuro e húmido. Não lhe apetecia nada entrar ali, mas não tinha coragem de dizer.

— Estás com medo, ó miúda? — perguntou o Chico.

— Ah, sou miúda? Então entra tu primeiro...

— Pois entro, queres ver? — o Chico avançou alguns passos para dentro. — Já cá estou! — disse, triunfante.

— Até aí, também eu!

E a Luísa avançou com os outros para dentro da rocha, sem no entanto se embrenharem muito. Estava bastante escuro lá dentro. Ouvia-se o ruído das ondas a bater de encontro às pedras cada vez com mais força e cheirava a peixe podre.

— Isto não é lá muito convidativo...

— A maré está a subir — disse o Pedro. — Temos de puxar melhor o barco, se não pode ser levado... — e, aproveitando a sua própria sugestão, voltou a sair. Os outros seguiram-no aliviados.

— Safa! Está-se muito melhor aqui fora!

— É, mas já que viemos até aqui, devíamos ir ver o que se passa, não acham? — perguntou o Chico.

— Não sei... — a Luísa voltou-se, olhando para todos os lados, cheia de esperança de descobrir qualquer coisa sem ter de se enfiar pela gruta dentro. — Olhem, olhem, mais acima há outra abertura!

— É, mas ali não chegamos!

— Talvez com a maré mais cheia...

— Deixem-se de conversas. Vocês estão é com medo. Se não conseguem entrar nesta, também não conseguiam entrar na outra! Eu vou ver o que se passa — e o Chico desapareceu para dentro da gruta, caminhando com determinação.

Os rapazes seguiram-no. As gémeas entreolharam-se, indecisas, mas acabaram por entrar também.

— Não se vê nada, que pena não termos trazido as nossas pilhas! — lamentou-se a Teresa, que avançava, cautelosamente.

— Eu trouxe! — disse uma voz atrás dela.

A Teresa deu um salto, assustada, e enfiou a cabeça numa teia de aranha.

— Ai! Ai! O que é isto?

— É só uma teia de aranha, não te assustes, rapariga! — o Chico iluminou a cabeça da Teresa e, com um gesto brusco, limpou-lhe a teia de aranha dos cabelos.

— Estamos todos juntos, não é preciso ter medo — comentou o João, com voz um pouco insegura.

O Pedro ia dizer qualquer coisa, mas ficou em suspenso. Um gemido fraco chegara até eles, vindo não se percebia bem de onde.

— Ouviram isto? — perguntou o Chico muito baixo e afagando a lanterna.

Receosos, encolheram-se uns contra os outros.

De novo se ouviu o mesmo som estranho, que parecia escorrer pela rocha e ecoar depois por toda a gruta.

— É alguém a chorar? — a Teresa apertou com força o braço da irmã.

— Esta aí alguém? — perguntou o Chico, com voz forte.

O mesmo lamento aflito voltou a ecoar pela gruta.

— Es-tá aí al-guém? — repetiu de novo o Chico, separando bem as sílabas para se fazer entender melhor.

— Dá cá a pilha — pediu o Pedro, que de seguida iluminou as paredes da gruta. — Isto afinal é bem pequeno! Aqui não pode estar ninguém!

— Seria o vento?

Um grito abafado interrompeu a conversa. Olharam-se perplexos.

— O vento não é!

— Isto é alguém aflito! Mas onde?

— Pedro, Pedro! Ilumina aqui outra vez, olha!

A Teresa estava excitadíssima. A luz incidiu num veio fundo na rocha.

— É por aqui que vem o som! Reparem...

E o João enfiou os dedos naquele sulco que subia pela parede e desaparecia num buraco do teto.

— Não há dúvida — disse o Pedro, aproximando-se —, é um canal de comunicação... Está alguém lá em cima!

E, aproximando a boca daquele sulco, gritou de novo.

— Quem está aí?

Uma voz débil respondeu:

— *Help! Help!*

O Pedro encarou os outros, surpreendido.

— Ouviram? Gritaram *help*! É alguém a pedir socorro em inglês!

A Teresa e a Luísa guincharam de excitação.

— Está um inglês preso ali em cima...

— Mas que coisa extraordinária!

— Bolas! Como é que havemos de lá chegar?

— Já sei — disse o Pedro, atropelando as palavras com o entusiasmo —, está na gruta que vimos mais acima! Só se consegue lá chegar quando a maré enche... É isso, é isso! Não pode ser outra coisa!

— *Help! Help me!*

— Coitado! Depressa, Pedro, temos de fazer alguma coisa, coitado! — implorou a Luísa, beliscando-lhe um braço.

— Está quieta, parva! Deixa-me pensar!

— Diz-lhe qualquer coisa, Pedro! Sabes tanto inglês!

— Esperem lá, acho que só há uma solução — continuou o Pedro, falando cada vez mais depressa. — Vamos levá-las à praia num instante e voltamos aqui, a maré está a subir. Daqui a nada já conseguimos chegar lá acima.

— Isso, depressa! Não podemos perder tempo!

As gémeas, com o coração a bater desordenadamente, lançaram-se para fora da gruta.

— Esperem aí! — gritou o Chico. — Temos de dizer qualquer coisa ao desgraçado!

Mas elas já não o ouviram.

— Raios! — exclamou o Pedro —, neste

HELP! HELP!
?
OUVIRAM? É ALGUÉM A PEDIR SOCORRO EM INGLÊS!

momento, não me lembro de uma única frase em inglês. Parece que se me varreu tudo da memória.

— E és tu o melhor aluno da aula! — resmungou o Chico. — Diz qualquer coisa. Diz-lhe que espere...

— *Wait! Wait!* — gritou o Pedro, lembrando-se de repente como se dizia «espere!, espere!».

E, sem quererem demorar mais, saíram também, dando com as gémeas, vermelhas de aflição, a tentarem segurar o barco.

— Olhem para isto! A maré ia-nos levando o barco! Está a subir e com força!

— Safa! — suspirou o Chico aterrado — daqui a pouco inundava a gruta e morríamos lá dentro, afogados!

— Safámo-nos a tempo!

— Podia ter sido horrível! — O João estava branco como a cal. — Contra isto é que nem o *Faial* nos podia valer mesmo que aqui estivesse. Vamos, não há tempo a perder!

Meteram-se todos no barco e remaram de novo para terra. A corrente dificultou um pouco o regresso, mas lá conseguiram aproximar-se da praia.

— Saltem vocês três!

O *Faial*, quando os viu aparecer, correu para eles abanando a cauda, todo contente.

— Eu podia ficar convosco... — sugeriu o João.

— Nada disso! Vão os três. Se for preciso separem-se, meninas para um lado, tu e o cão para outro. A aldeia é pequena, mas há vários sítios onde têm de procurar.

— Pode ser até que tenham de ir ao farol!

— Pois é... vamos.

— Depois venham aqui ter! — gritou ainda o Chico, afastando de novo o barco.

— Boa sorte! — gritaram as gémeas, acenando para os amigos que desapareciam por detrás do pontão.

Capítulo 8

Uma noite terrível

As gémeas e o João correram pelo carreiro acima, sem parar, até à entrada da aldeia. O céu ia-se cobrindo de nuvens cada vez mais escuras e um ventinho desagradável soprava vindo do mar.

— Não posso mais... já me dói o estômago! — disse a Teresa, ofegante, apertando com força a cintura.

— Isso é dor de burro... já passa!

— Podemos parar aqui um bocadinho — propôs o João, que também estava estafado.

O *Faial* abanava a cauda, satisfeito com a corrida. Aquele passeio parecia-lhe uma brincadeira divertida.

— Não podemos demorar muito, Teresa! Daqui a nada faz-se noite! Respira fundo e vamos!

Voltaram a pôr-se em marcha, em passo acelerado mas sem correr. Não sabiam bem onde se dirigir em primeiro lugar.

— Se fôssemos àquela venda no meio da aldeia? Ali compra-se tudo, talvez o faroleiro tenha passado por lá!

— Sim, podemos começar por aí, é boa ideia.

A aldeia estava mais ou menos deserta. Os que tinham ido trabalhar andavam na sua vida. Quem estava em casa não tinha muita vontade de sair, com aquele frio.

A venda era uma pequena loja, onde um homem já velhote, aviava por detrás do balcão mercearias, vinho, presunto, velas, lâmpadas, lâminas de barbear, baldes de plástico, panos... Havia uma arca frigorífica com peixe congelado e uma maquineta para servir café.

Entraram de roldão, despenteados, exaustos e afogueados da corrida.

— Boas tardes! — disse o homem, levantando os olhos de um livro de páginas sebentas, onde tomava nota do que tinha vendido nesse dia. — O que é que querem?

— Nós, hã... queríamos saber se esteve aqui o faroleiro.

— O faroleiro? Qual faroleiro? São tantos... — respondeu o homem, com um meio sorriso pachorrento.

— O Sr. Edgar Casaca, conhece?

O homem tossiu, assoou-se a um lenço de quadrados vermelhos e cruzando os braços por cima do balcão pôs-se a olhar para eles abanando levemente a cabeça:

— O Edgar? Conheço, conheço... então não havia de conhecer!...

— Mas viu-o? — perguntou a Luísa, impaciente.

— Vi! Já o vi muitas vezes, minha menina. Mas hoje ainda não passou por aqui!

O João e as gémeas entreolharam-se, consternados.

— Tem a certeza? — insistiu a Teresa.

O homem voltou a tossir e a assoar-se ruidosamente.

— Maldita constipação... — e, voltando a escrever no livro, acrescentou ainda. — O melhor é irem procurá-lo ao farol!

Saíram os três para a rua, desesperados.

— Que homem tão irritante! — comentou a Luísa, furiosa.

— Onde raio se terá metido o faroleiro?

— Vamos dar uma volta por aqui...

O João avançou com o *Faial* e embrenhou-se pelas ruas da aldeia. As gémeas seguiram-no e andavam de um lado para outro, sem saberem o que fazer. Estava tudo tão pacato que a descoberta que tinham feito quase parecia impossível.

— O melhor é darmos uma corrida até ao farol! O que é que acham?

Todos concordaram, embora lhes custasse fazer de novo aquela caminhada. Parecendo que não, ainda era um bom bocado até lá.

— Estou estafada! — queixou-se a Teresa.

Mas mesmo estafados lá foram, ansiosos

por encontrar o faroleiro, na esperança de que ele tivesse conseguido alguma informação útil.

Mas também ali ninguém sabia dele.

Resolveram então voltar à praia.

— Com certeza o Chico e o Pedro já estão de regresso!

Desceram por um atalho até à praia do Lagosteiro, sempre de cabeça no ar, tentando vislumbrar a figura dos dois amigos no areal. Mas nada! Nem Pedro, nem Chico, nem barco.

— PE-DRO! PE-DRO! — gritou o João, pondo as mãos em concha à volta da boca para se fazer ouvir melhor.

— CHI-CO! — berrou a Luísa.

A praia era pequena, e para além das cabanas e da casinha das rochas não tinha grandes esconderijos onde eles pudessem estar.

— Achas que se esconderam? — perguntou a Teresa, já bastante assustada.

— Não sei... acho que não! Ou então ficaram surdos, se não ouvem os nossos gritos!

— PE-DRO! — gritou mais uma vez o João, com a voz a tremer.

Naquele momento já todos pensavam coisas terríveis!

Os dois rapazes teriam naufragado? Estariam pendurados nalguma rocha sem conseguirem regressar a terra?

O João, numa corrida, tinha já dado a volta

por todas as cabanas. Nada! As gémeas treparam até à casinha, sentindo os joelhos fraquejar. Nada também.

Um pingo de chuva caiu na testa da Teresa, que fitou a irmã, aterrorizada.

— Luísa, que horror! Vai chover! Onde é que eles se terão metido? — perguntou, quase a chorar. Luísa estava muito branca. Sentia uma dor forte no estômago e um peso no peito.

— No que nos fomos meter...

Desceram de novo para a praia, onde o João as esperava, também bastante assustado.

— Vocês acham que lhes aconteceu alguma coisa?

— Não sei — disse a Luísa, sentindo a garganta muito seca. Não podemos é perder a calma.

Uma chuva forte começou a cair naquele momento. O céu estava muito carregado, anunciando temporal.

— Não podemos passar aqui a noite! — disse o João, sentindo um arrepio.

— Bom — disse a Teresa —, não vamos entrar em pânico. O Pedro e o Chico nadam muito bem, e o mar está calmo. Se se virassem, vinham para a praia a nado!

— O mais certo é estarem por aí, escondidos numa gruta...

— E se a gruta ficar inundada? — perguntou o João, olhando para o mar, com pavor.

PEDRO!
PEDRO
PEDRO
LUÍSA, QUE HORROR! ONDE SE TERÃO ELES METIDO?

— Hum, não há perigo. A maré agora está a descer, não vês?

Fitaram a borda da areia molhada, cheios de esperança. Realmente parecia que o mar estava agora mais baixo.

— Vais ver que eles estão com o rapaz que estava preso, e resolveram lá passar a noite!

— Mas isso não era uma estupidez? — arriscou o João.

— Não sei... — Luísa tentava proteger-se da chuva que caía cada vez mais forte. — Mas se lá estão, com certeza hão de esperar que pare de chover!

— É quase noite. A minha avó deve estar aflita!

— Temos de ir para casa! — disse a Teresa, com voz sumida.

— E o que é que vamos dizer a minha avó? — perguntou o João, começando a subir o carreiro.

— O melhor é dizer que eles encontraram um amigo de Sesimbra e foram lá passar a noite! — propôs a Luísa, olhando ainda uma vez para trás.

— E se eles aparecem de repente?

— Tomara que apareçam... isso não é problema! Se eles aparecerem, contamos toda a verdade.

— É... acho que tens razão.

Regressaram a casa lentamente, apesar da chuva e do vento cada vez mais forte. De vez em quando um deles virava-se, na esperança de ver aparecer os amigos, mas nos caminhos desertos não se via vivalma.

A avó recebeu-os alegremente, como de costume. Tinha a mesa posta e afadigava-se em volta das panelas. Acreditou na história que lhe contaram sobre a ida dos rapazes a Sesimbra, mas estranhou vê-los tão macambúzios.

— Credo, meninos! Só porque o Chico e o Pedro foram a Sesimbra não é razão para estarem com essas caras de enterro!

Sentados em volta da mesa, nenhum deles falava, nem mostrava o menor interesse pelos petiscos que a D. Alzira lhes tinha preparado. Até o *Faial* parecia tristonho.

A Teresa pegou no *Caracol* ao colo e ficou a afagá-lo sem dizer nada.

— Vamos, comam qualquer coisa! Será que ficaram doentes com tanta chuva?

A Luísa procurou sossegá-la:

— Não... estamos só muito cansados!

O barulho da chuva a bater violentamente nas vidraças enchia-os de terror.

Onde estariam o Chico e o Pedro?

— Que temporal! — murmurou a avó, olhando pela janela. — Numa noite destas é que eu não me queria ver no mar!

A Luísa abafou um soluço e correu para o quarto, seguida pela irmã.

Um relâmpago iluminou de repente a cozinha com uma luz violeta, e logo a seguir ouviu-se um trovão estrondoso.

— Que tempestade! — disse o João, de olhos arregalados, crispando as mãos na coleira do *Faial*. — Também me vou deitar!

E, sem dar tempo à avó de fazer perguntas, fugiu a esconder-se no quarto das gémeas. Fecharam a porta à chave e nessa noite ninguém se deitou.

Passaram horas e horas à janela a ver chover e trovejar cada vez com mais força.

A Luísa roía as unhas com frenesi.

— Achas que eles estão bem? — perguntavam de vez em quando uns aos outros.

— Por que não terão regressado a casa?

Capítulo 9

Na gruta

— Em casa devem estar aflitos com a nossa ausência — comentou o Pedro, bocejando, cheio de sono.

— Vê lá se já está a abrandar a chuva — perguntou o Chico, voltando-se na sua incómoda cama improvisada ao fundo da gruta.

Os dois amigos tinham chegado ali algumas horas antes, depois de terem deixado os outros na praia.

Com o barco mais leve tinham regressado rapidamente à gruta.

A maré tinha subido e foi sem dificuldade que conduziram o barco até à entrada superior. No primeiro momento, com os olhos habituados à claridade, não viram ninguém lá dentro.

— Está aí alguém? — perguntou o Chico, piscando os olhos.

Um gemido fraco fê-los avançar mais depressa, embora ainda às apalpadelas.

O Pedro encalhara o bote entre duas pontas da rocha e seguiu-o.

— Acende a tua lanterna!

— Não consigo, pá! Parece que se molharam as pilhas.

— Esta gruta é muito maior! — comentou o Pedro, olhando em volta.

— Está aí alguém? — perguntou o Chico, de novo.

Nesse momento uma figura humana pareceu agitar-se no fundo. O Chico conseguiu finalmente acender a lanterna e fez incidir um facho de luz numa cara lívida, que os fitava com espanto.

Aproximaram-se os dois e agacharam-se. O outro parecia não ter forças para se levantar. Era um rapaz pouco mais ou menos da idade deles. Tinha uma cara oval, muito branca, com olheiras fundas. Os olhos eram azuis, de um azul invulgar, quase transparente, e os cabelos brancos de tão loiros.

— *Help me!* — articulou com dificuldade.

O Pedro olhou para o Chico, espantado.

— O gajo é mesmo inglês! Que raio estará aqui a fazer um inglês?

Embaraçados, fitaram o pobre rapaz que se mexia com dificuldade debaixo de umas mantas. Com um movimento mais brusco, levantou-se e mostrou aos dois amigos, atónitos, que tinha os tornozelos e os pulsos atados.

— Olha... está preso, coitado! Solta-o!

O Chico apressou-se a desatar as cordas, enquanto o Pedro mantinha a lanterna acesa.

— Vá... — disse o Chico, soltando um último nó e endireitando-se. — Já que és tão bom aluno a Inglês, fala com ele, diz qualquer coisa.

— Mas o que é que lhe hei de dizer? Neste momento não me lembro de nada, é sempre assim...

O rapaz esfregava os pulsos e os tornozelos com força, esticando e encolhendo os braços e as pernas.

— Pergunta-lhe o nome... — propôs o Chico.

O Pedro sentou-se nos calcanhares e arriscou, procurando pronunciar o melhor que sabia.

— *What's your name?*

O rapaz deteve-se e encarou-os com um sorriso fraco.

— *Paul. My name is Paul!*

— Olha, percebeu — disse o Pedro, radiante.

— Então não havia de perceber! — respondeu o Chico, rindo-se. — Também, isso até eu percebo e não sei nada de inglês!

— Bom, já sabemos que se chama Paul, Paulo, portanto. E agora? Que é que hei de perguntar mais?

— Sei lá! Olha, pergunta-lhe quem é, o que é que está aqui a fazer...

— Mas eu não sei fazer essas perguntas

HELP ME!
O GAJO É MESMO INGLÊS!
OLHA... ESTÁ PRESO!
SOLTA-O!

em inglês! Achas que ele não entende nada de português?

O Chico encolheu os ombros:

— Olha, sabes o que te digo? Passo a vida a dizer que as aulas de Inglês não servem para nada e afinal...

— Vou experimentar — disse o Pedro, voltando-se para o rapaz. — Falas português?

O rapaz fez uma careta e respondeu:

— *I*... Eu... falar um pouco... mal...

— Ótimo! — O Chico esfregou as mãos de contente. Assim, já nos podemos entender.

— O que é que estás aqui a fazer?

— Quem és tu?

O Chico berrava altíssimo e fazia imensos gestos, como se isso pudesse ajudar o rapaz a compreender o que lhe dizia...

Ele levantou-se com certa dificuldade, olhou-os demoradamente e depois abriu os braços, dizendo, com lágrimas nos olhos:

— Amigo? Amigo? *Friends*?

O Pedro abraçou-o, comovido. «Coitado! Fosse lá quem fosse, tinha passado um mau bocado.» Em seguida, foi a vez de Chico. À sua maneira abrutalhada, deu-lhe fortes palmadas nas costas, dizendo:

— Amigos, pois, então não havíamos de ser amigos! — Disfarçou a emoção que também sentia.

Depois daquelas manifestações ruidosas, o inglês endireitou-se e fez um gesto como quem diz «vejam se me percebem»... e, num português confuso, começou a explicar-se:

— Meu pai homem...

— Ah! Ah! Ah! — riu o Chico. — Então o pai dele não havia de ser homem?

— Cala-te, parvo! Deixa-o falar!

O Pedro fez-lhe um gesto para que continuasse. O rapaz recomeçou, muito devagar, com medo de dizer algum disparate ou de não se fazer entender.

— Meu pai homem muito rica...

— Muito rico — corrigiu o Pedro, automaticamente.

— Oh! *Yes! Yes!* Meu pai homem muito rico. Homens querer *money*... dinheiro. *Do you understand?*

— *Yes* — respondeu-lhe o Pedro, acenando-lhe que sim. — *Yes, I understand!*

— O que é que estás para aí a dizer? — interrompeu o Chico.

— Então, estou a dizer que percebi. *Understand* é perceber, entender. Tu não entendeste?

— Eu sou parvo ou quê? Já está tudo explicado. Ele é filho de um homem muito rico, foi raptado e os raptores querem dinheiro.

— Pois, querem um resgate.

O rosto do rapaz iluminou-se:

— *Yes! Yes! That's it!* Um restate.

— Bom... — começou o Pedro.

Mas Paul interrompeu-os:

— *What's your name?*

— *My name is Peter* — respondeu o Pedro, olhando para o Chico para que se apresentasse também.

— Como é que se diz Chico? — perguntou este encolhendo os ombros. — Nunca me lembro de nada.

— Francisco é *Francis*, Chico acho que é *Frank*...

— My name is Frank! E agora acho que é melhor pormo-nos a andar daqui para fora!

O Chico virou-lhe as costas dirigindo-se para a entrada da gruta, mas mal espreitou para fora, soltou uma exclamação de desagrado:

— Bolas! Estamos tramados!

O Pedro e o Paul aproximaram-se da entrada e verificaram, apavorados, que a maré tinha descido e que não era possível voltarem tão depressa. Para piorar as coisas, começou a chover.

— E agora?

— Agora, temos de ficar aqui até amanhã!

O Paul olhou-os com ar aflito.

— Não podemos perder a calma! Está a chover, a maré desceu e nós temos o barco. Os homens não podem vir aqui, e de qualquer maneira as gémeas e o João devem estar a tratar de tudo em terra! Ficamos aqui a passar a noite e pronto! Nada de sustos.

O Paul não tinha percebido nada, mas ambos procuraram tranquilizá-lo com gestos amistosos.

— Diz-lhe que ficamos aqui com ele... que não se assuste.

— *We stay here, everything will be all right.*

Instalaram-se na gruta, improvisando camas para os três com as mantas velhas.

O Chico e o Pedro procuraram explicar que tinham três amigos em terra à procura de socorro e Paul foi contando meio em inglês meio em português o que lhe tinha acontecido.

Dividiram entre todos o resto das provisões que os raptores ali tinham deixado, e ainda se riram um bocado todos juntos.

«Tomara que chegue o dia de amanhã! Vamos a ver como é que nos livramos desta!»

A trovoada que se fez sentir toda a noite era realmente pavorosa, mas nenhum deles quis dar parte de fraco e por isso nunca se queixaram. E, apesar de tudo, acabaram por adormecer.

Na manhã seguinte, a primeira preocupação de todos foi verificar se já tinha parado de chover para poderem regressar a casa. De facto, a trovoada tinha limpo o céu. O dia estava frio mas bonito. No entanto, a maré ainda não permitia que pusessem o barco na água.

— Que chatice, ainda temos de esperar um bom bocado! — disse o Pedro, espreguiçando--se.

O Paul, ainda bastante combalido, estendeu--lhes o resto das bolachas moles, que eles aceitaram, mastigando sem gosto.

— Que bodega...

— Ora, não te rales, não tarda estarmos a comer uma boa refeição!

— A esta hora as gémeas já devem ter tratado de tudo!

— É, foi bestial nós termos conhecido o Sr. Edgar. Ele ajudou muito, com certeza!

Mal sabia o Chico os problemas com que se debatiam as gémeas naquele momento!

Capítulo 10

Um traidor?

Que se passava, afinal?

As gémeas e o João quase não tinham pregado olho toda a noite. Assim que clareou, saíram porta fora, de mansinho, direitos ao farol.

— Ainda bem que parou de chover!

— Foi uma noite terrível!

— Achas que eles dormiram na gruta? — perguntou o João.

— Espero bem que sim... mas o melhor agora é agirmos depressa. Vamos procurar o faroleiro...

— Olha lá — interrompeu a Teresa —, e se ele está com os outros e não nos pode falar?

— Chama-se de parte! Não comeces a complicar antes de termos chegado... — respondeu a Luísa, estugando o passo.

— Espera aí! Eu tenho uma proposta a fazer.

— Uma proposta? Qual proposta? — retorquiu a Luísa, irritada. — Não me parece que seja hora própria para propostas.

— Ouve! Escrevemos um bilhete. Se lá chegarmos e for difícil falar, passamos-lhe o bilhete para as mãos...

— Ah!? Um bilhete? Isso não era mal pensado...

— Então vá, tenho aqui papel, ora escreve tu!

O João tirou do bolso um pequeno bloco de notas e uma esferográfica que estendeu à Luísa.

Esta deteve-se, ajoelhou-se no chão e apoiou o bloco numa pedra. Pensou um pouco e escreveu em seguida:

Sr. Edgar:
Descobrimos uma pes-
soa presa numa gruta.
O Pedro e o Chico foram
para lá de barco ontem
e ainda não voltaram.
Vamos para a praia do
Lagosteiro. Chame a
polícia e venha lá ter.

— Acham bem assim?

— Acho! Vamos, então!

A Luísa dobrou o papel em quatro e fechou-o com força na mão.

No farol, no entanto, esperava-os uma grande surpresa. Logo à entrada, avistaram o Sr.

Edgar que conversava com mais dois na sala das máquinas. Aproximaram-se, resolutos, calculando que ele iria ao seu encontro. Mas ele continuou a conversar como se não os tivesse visto. Pararam, hesitantes.

— Chamo-o? — perguntou a Luísa em voz baixa.

— Espera, eu vou lá...

O João agarrou o *Faial* pela coleira e deu alguns passos em frente.

— Olhe, faz favor!

Um dos homens presentes olhou-o com curiosidade.

— Queres alguma coisa, rapaz?

— Eu queria... — João fazia esforços para se fazer notar pelo Sr. Edgar que continuava sem lhes prestar a menor atenção.

— Então se queres, diz lá o quê!

— Queria falar com aquele senhor!

— Qual, este? — perguntou o velhote, apoiando a mão no braço do Sr. Edgar.

— É! Esse mesmo.

As gémeas chegaram-se também para junto do João, estupefactas. Que se passaria afinal? Porque é que o faroleiro não lhes ligava nenhuma?

— O que é que me querem? — perguntou ele, com ar carrancudo. — Se é para visitas de estudo, voltem noutra altura!

SE QUERES ALGUMA COISA DE MIM, DIZ JÁ.
SE NÃO, TOCA A ANDAR!
?!
?!
?

As gémeas abriram e fecharam a boca sem articular um único som. Estavam indignadas! Então aquele homem tinha estado com eles na praia, sabia da história toda, sabia que podia tratar-se de um problema grave e falava-lhes de visitas de estudo?!

O João mantinha-se ali especado, sem dizer nada também. Até o velhote parecia admirado.

— Então, Edgar! Isso nem parece teu. Sempre gostaste de crianças, sempre gostaste de mostrar o farol...

— Pois é, mas hoje não estou com paciência!

— Mas...

— Não há mas, nem meio mas... vocês não veem que estou ocupado?

As gémeas e o João hesitaram, olhando para os três faroleiros, com ar aparvalhado.

O *Faial*, pouco satisfeito com os modos com que tratavam os seus amigos, pôs-se a rosnar baixinho.

O velhote parecia embaraçado com as atitudes do colega e, para amenizar, tentou fazer uma festa na cabeça do cão, que o encarou com ar ameaçador.

— O teu cão é uma fera, hã? — disse ele, dirigindo-se ao João.

— Quieto, *Faial*! — admoestou a Luísa, pousando a mão na coleira.

O Sr. Edgar voltou-se e dirigiu-se a uma mesa de trabalho, começando a arrumar papéis.

O outro homem encarava-os, com ar trocista:

— É melhor irem-se embora, parece que daqui hoje não levam nada!

— Ele tem o seu feitio, mas é bom rapaz — disse o velho, tentando de novo desculpar o colega. — Voltem outro dia, está bem?

— Não estejas aí a perder tempo — interrompeu o Sr. Edgar —, eles que desamparem a loja, que é o melhor que têm a fazer.

«Será que ele está a disfarçar?», pensou a Teresa, piscando-lhe o olho para ver o que acontecia.

— Não me estejas a piscar o olho! Se queres alguma coisa de mim, diz já. Se não, toca a andar!

A Luísa, já enfurecida, fez meia volta e chamou os outros.

— Venham! Não estou para aturar malcriados.

E saiu porta fora. Na precipitação da fuga, nem se lembrou mais da mensagem que levava e abriu a mão, deixando cair o papel. Uma ideia terrível tinha-lhe atravessado o espírito.

— Olhem lá! — disse ela, quando já estava suficientemente longe. — Parece que nos enganámos!

— O homem será doido? — perguntou o João.

— É capaz de ser pior do que isso!...

— O que é que estás a pensar, Luísa?

— Talvez ele esteja feito com os bandidos, e tenha inventado aquela história toda para nos ter debaixo de olho!

— Nem me digas, Luísa! Isso era o fim!

— Pois é! Assim não só não temos ninguém para nos ajudar como temos mais um adversário...

— Bom, não podemos perder a cabeça, ele não sabe que o Pedro e o Chico partiram para a gruta de barco... Vamos nós para a praia a ver se eles chegam. Talvez seja possível resolvermos tudo sozinhos!

— Sozinhos, não! Com o *Faial*!

— Podem acontecer várias coisas: o Pedro e o Chico regressarem, os homens aparecerem ao mesmo tempo e termos de lutar...

— Nesse caso, nós somos mais e temos o cão!

— Pois é, mas se o Edgar se lembra de aparecer também com reforços...

— Ai, que parva!

— O pior de tudo — disse o João — é se o Chico e o Pedro «não aparecem»!

— Não digas isso nem a brincar!

— Vamos, vamos é para a praia a ver o que acontece!

Capítulo 11

No mar

Encaminharam-se para a praia pelo atalho que já conheciam. Quando já estavam perto, ouviram vozes.

— Olha, os homens... estão na praia!

— Escondam-se! Abaixem-se!

— Vou tentar ouvir o que eles dizem... Aguentem aí!

A Luísa rastejou colada ao chão, por detrás das moitas de plantas bravias. O João e a Teresa ficaram encolhidos atrás de uma pedra.

— Teresa... — disse o João, em voz baixa —, o papel? A tua irmã perdeu o papel que escrevemos há bocado!

— Como é que sabes?

— Olha — disse ele, esticando o queixo em direção à Luísa —, ela apoia-se com as mãos abertas! Deve ter deixado cair o papel!

— Que horror, se o deixou cair no farol, estamos tramados.

— Pois é! Se o faroleiro é um dos bandidos, a esta hora já o leu e sabe para onde viemos e porquê...

— Vou avisar a Luísa! Fica tu aqui.

E, sem esperar mais, Teresa lançou-se a rastejar atrás da irmã.

— Luísa! — chamou baixinho. — Luísa! Espera!

Ela, no entanto, não parecia ouvir nada, e seguia em frente. Estava já quase ao pé dos homens.

— Luísa! — chamou de novo a irmã, alcançando-a e puxando-lhe pelo casaco.

— Olha, Teresa! Os homens já têm outro barco! E agora?

Com efeito, dois homens empurravam um bote para dentro da água.

— Que é que fazemos?

De repente, uma voz grossa soou por cima da cabeça delas:

— O que é que fazem? Com que então meteram-se nisto e agora não sabem o que hão de fazer!

As gémeas estremeceram e voltaram-se, apavoradas. Por trás delas estava um homem alto e forte, de sorriso cínico.

— Nós...

— Pois claro! Vocês! Agora vêm connosco dar um passeio de barco! É isso que vão fazer!

E agarrando cada uma por um braço empurrou-as em direção ao mar.

Elas ainda pensaram chamar o João... mas lembraram-se a tempo que se ele ficasse livre era a única hipótese de conseguirem socorro. Por isso calaram-se e deixaram-se conduzir até ao barco, arrastando os pés para demorar o mais possível.

— Mexam-se! — berrava o homem. — Andem lá, que temos mais que fazer!

Os outros dois esperavam, junto ao bote, de braços cruzados.

— Ora que belas gémeas que pescaste nas moitas! — gracejou o mais alto.

— Espero que saibam nadar! — acrescentou o outro, erguendo-as no ar e atirando com elas para dentro do bote.

Elas, petrificadas, nada diziam.

«Oxalá o João tenha ido chamar alguém!», pensava a Luísa.

«Depressa, João! Estes brutos ainda nos atiram aos peixinhos!», pensava a Teresa.

— Estão com medo? Hã? Quem lhes mandou serem intrometidas?

O barco deslizava com uma certa dificuldade em direção às grutas.

— Isto é muito peso para um barco tão pequeno!

— Deixa-te de tretas e rema. Se for preciso, deitam-se estes contrapesos ao mar!

Luísa e Teresa encolheram-se uma de encontro à outra, mas nada disseram.

O barco avançou um pouco mais, contornou o pontão da rocha e... em sentido contrário, lá vinha o bote com o Chico, o Pedro e mais um rapaz loiro!

— São eles! — disseram as duas ao mesmo tempo.

— Ah! Ah! Olha quem ali vem!

— Mais dois intrometidos, sim senhor! Então vocês tinham mais dois amiguinhos para ajudar... — troçou um dos homens.

— Malandros! Espera, que já vão ver!

— Forca, pá! Rema com mais força! — berrou o chefe.

O Chico e o Pedro eram bons remadores também. Com o barco mais leve fugiram com facilidade à perseguição, afastando-se para o mar alto. Mas a ondulação forte fazia-os balançar perigosamente.

— Cuidado, pá! Cuidado!

O barco oscilava para um lado e para o outro. Os homens aproximavam-se cada vez mais depressa. Paul, estarrecido, enfiara-se no fundo do bote assim que reconheceu os seus raptores. Por nada deste mundo queria voltar a ficar preso na horrível gruta de onde aqueles amigos tinham acabado de o libertar.

Os barcos quase se tocavam e o chefe dos bandidos esticava já um braço para agarrar um deles, quando uma onda mais forte os tornou a separar.

— Raios!

— Atira com as miúdas ao mar! — gritou o remador, tentando equilibrar o barco nas ondas.

O outro fez menção de levantar uma das gémeas, mas elas esborracharam-se com toda a força no chão.

— Diabo de raparigas, pesam como chumbo! — gritou ele, abanando-as.

— Cuidado, seu idiota! Ainda nos viras...

A ondulação fazia balançar os dois barcos.

O Pedro e o Chico, apanhados por uma corrente, eram agora arrastados em direção aos homens, embora remassem freneticamente para se afastarem.

— Vamos chocar... — gritou a Teresa.

— Talvez o João tenha conseguido pedir socorro...

— E se o faroleiro o apanhou?

— Cala-te! Vamos dar uma ajuda. Vamos virar o barco?

Os homens não deram atenção à conversa das gémeas e procuravam alcançar os rapazes, gritando e gesticulando.

— Já vão ver! Malandros!

— Esperem pela pancada!

Naquele momento, uma corrente mais forte trouxe o barco dos rapazes meio desgovernado direito a eles. O chefe estendeu de novo o braço para os agarrar, mas o Pedro ergueu

!
Ah! Ah! OLHA QUEM ALI VEM!
MAIS DOIS INTROMETIDOS, SIM SENHOR!

um remo levantando uma cortina de água que encharcou tudo e deu-lhe uma pancada forte na mão.

— Ai! — berrou o homem, encolhendo o braço.

Os barcos rodopiavam muito perto um do outro, apanhados por um remoinho.

Os remadores estavam vermelhos do esforço e de fúria. O chefe, esse, lívido, com os cabelos molhados colados à cara, agitava-se com o corpo meio de fora.

— Mexam-se! Força! Quero pôr as mãos em cima daquele malandro!

O Pedro e o Chico sentiam-se fraquejar. Paul, querendo ajudar os amigos, soergueu-se e estendeu a mão para um remo, que escorregou das mãos de ambos e se afastou no mar.

— E agora?

Tudo parecia perdido.

— Balouça daí que eu balouço daqui — exclamou a Luísa, afogueada.

O barco inclinou-se todo, primeiro para o lado da Teresa, depois para o lado de Luísa, metendo água, que lhes encharcou os pés.

— Que é que estão a fazer, suas bestas? — gritou um dos remadores.

O chefe, furioso, tentou segurá-las sem conseguir. Com uma expressão desvairada elas continuavam a pular na borda do barco, sem parar, para o fazer meter mais água e gritando coisas sem nexo.

— Força daí!

— Tudo para a água!

— Vamos ao banho!

— Mas estas gajas são doidas!

— Agarra-as!

— Ferra-lhes um estalo!

Um deles, tentando acertar na Luísa com o punho cerrado, foi surpreendido pela agilidade da rapariga, saiu pela borda fora e mergulhou de chapão no mar.

Os rapazes estavam assombrados com a coragem das gémeas e seguiam a cena, imóveis. A ideia não era má... mas como é que aquilo acabaria, afinal?

Subitamente, tudo se resolveu. Lá ao fundo, avançavam duas vedetas da polícia marítima que se dirigiam para eles a toda a velocidade.

As gémeas nem queriam acreditar.

— A polícia marítima! — gritou o Pedro, soltando o outro remo e agitando os braços.

Os homens tentaram fazer meia volta, ignorando o companheiro que se debatia nas ondas, para fugir em direção à praia, mas as gémeas, excitadíssimas, levantaram-se de um pulo, gritando e acenando:

— Socorro! Socorro!

O barco balouçou mais violentamente, inclinou-se todo para um lado e virou-se por fim, mergulhando todos no mar.

O Chico atirou-se imediatamente à água para pescar as gémeas que esbracejavam sem conseguir nadar bem, por estarem vestidas e calçadas.

— Chico... dá cá a mão! — chamou a Luísa, cuspindo água e respirando com a cabeça quase submersa pelos braços da irmã que tentava apoiar-se.

— Larguem-se, suas parvas! Soltem-se uma da outra que ainda se afogam — ordenou Pedro que se atirara também ao mar seguido de Paul.

Os homens afastavam-se, nadando vigorosamente em direção à praia, mas as vedetas a motor foram mais rápidas e intercetaram-nos no caminho.

O bote dos rapazes, entretanto, tinha-se também voltado e todos se apoiaram no casco que flutuava, esperando ansiosamente que os viessem buscar.

Uma das vedetas aproximou-se com três marinheiros fardados e risonhos.

— Ora vamos lá a recolher os heróis — gracejou um deles, içando Pedro para bordo.

Um a um, subiram todos com a ajuda dos marinheiros. Luísa foi colocada no chão, mas tinha o corpo tão hirto que não se conseguiu mover.

FERRA-LHES UM ESTALO!
TUDO PARA A ÁGUA!
SB40723C
PLACH
OH!

— Estou gelada... — balbuciou, batendo os dentes.

E durante uns minutos ficou ali numa posição cómica, com as pernas e os braços rijos, arqueados, sem se conseguir endireitar.

— Isso já passa, não te assustes, assim que aqueceres, recuperas os movimentos.

Os marinheiros conduziram-nos para terra, enquanto a vedeta que transportava os bandidos desaparecia no mar em direção a Lisboa.

Na praia, o João e o faroleiro acenavam alegremente. O *Faial* corria de um lado para o outro, ladrando e saltando, satisfeito.

Capítulo 12

Explica-se tudo

Quando puseram o pé em terra firme, o João correu a abraçá-los, sem se importar com o facto de estarem encharcados.

Dois marinheiros saltaram também da vedeta e dirigiram-se ao faroleiro, com quem ficaram a conversar, enquanto a rapaziada dava largas à sua alegria.

— Brrr... que frio! — queixou-se a Luísa. — O vento reanimou-me, mas agora estou a enregelar outra vez! Vou ficar hirta!

O Paul tremia como varas verdes. O Chico tentou correr para se aquecer, mas a roupa ensopada de encontro ao corpo dificultava-lhe os movimentos.

O Sr. Edgar apanhou alguns gravetos com a ajuda dos marinheiros, fez um monte no meio da praia e chegou-lhes fogo.

Venham para aqui! Vocês precisam é de uma boa fogueira.

Tiritando e batendo o dente, rodearam todos o lume que irrompia em chamas primeiro miudinhas e formando depois uma labareda alta.

— Ora, sim senhor! Vocês deviam ser contratados para a Marinha!

— Isto foi uma verdadeira batalha naval!

— O menos que podemos fazer é condecorá-los! — gracejou o outro.

— Agora o que eu queria não era uma medalha, era roupa seca! — disse o Pedro, descalçando-se e estendendo as mãos e os pés em direção ao lume.

As gémeas voltavam-se ora de frente ora de costas, tiritando sempre.

— Vocês parece que estão a grelhar... gémeas no churrasco!

O João tirou o casaco que ofereceu a uma, e preparava-se para tirar também a camisa, mas o faroleiro não deixou.

— Espera aí, rapaz! Está muito frio para ficares em tronco nu.

E, tirando a samarra, embrulhou nela as duas raparigas, que ficaram encolhidas, com as caras juntas e já afogueadas pelo lume.

Só então o Paul pareceu notar que elas eram iguais.

— São... *gemas*... — balbuciou, esfregando as mãos.

— Não, não! — replicou o Chico, abrindo

e fechando os braços, tentando secar, uma é a *gema*, outra é a *clara*...

Paul fitou-o sem compreender. Os outros riram-se.

— Não baralhes o rapaz! Ele ainda deve estar sem perceber o que lhe aconteceu — disse o faroleiro.

— Não são *gemas* — explicou o Pedro —, são gémeas, gé-me-as. *Do you understand?*

— *Oh! yes! yes!* gémeas — pronunciou ele, com cuidado. — *Twins!*

Elas olhavam-no, interessadas.

«Que giro que ele é!», pensavam.

— Bem, o melhor é irmos para casa. Lá explicamos tudo muito bem explicado...

Os marinheiros despediram-se de todos e regressaram ao barco.

— Foi uma grande ajuda! Andava tudo doido à procura deste rapaz inglês!

— Depois entramos em contacto com vocês! Tens a certeza de que ele quer aqui ficar?

— Quer... a gente trata de tudo! — respondeu logo o Sr. Edgar.

— Esta história vai dar muito que falar!

— Vamos tratar das medalhas... — gritou ainda um deles, a rir, com o barco já a afastar-se.

Quando chegaram a casa, a avó recebeu-os, assombrada.

OH! SÃO ... GEMAS...
NÃO, NÃO! UMA É A GEMA, OUTRA É A CLARA...

— Meu Deus! O que é que lhes aconteceu?
— Calma, minha senhora, não se assuste!
— Eu explico tudo — disse o faroleiro, entrando para a cozinha. — Mas primeiro eles vão-se mudar.

Desapareceram todos para os seus quartos a trocar de roupa. Pedro emprestou umas calças e um camisolão a Paul, que tinha mais ou menos a mesma estatura que ele.

As gémeas começaram a secar o cabelo com um secador mas, impacientes por saberem pormenores, desistiram e regressaram à sala, esfregando furiosamente a cabeça com toalhas. As cabeleiras, espetadas no ar, fizeram rir os outros.

— Vocês parecem duas loucas!

A avó, ainda meio atarantada, punha na mesa uma caneca de leite quente. O Sr. Edgar já lhe tinha contado a história toda.

— Valha-me Deus, uma coisa destas... — suspirava ela, andando de um lado para o outro, desesperada.

— Calma! O que é preciso é calma! — dizia o Sr. Edgar.

Mas a avó nem o ouvia. Na sua atrapalhação, pegou no tacho com a comida do *Faial* e colocou-o em cima da mesa, empurrando-o em direção a Paul.

— Vá, sirva-se!

Paul encarou-a estupefacto e os outros largaram à gargalhada.

— Ah! Ah! Ah! Coitado!

— No fim disto tudo, ainda tem de comer comida de cão! Vá! Rói esses ossinhos...

— Ah! Ah! Ah!

Paul olhava para todos sem nada compreender.

A avó, envergonhada, retirou rapidamente o tacho e desfazendo-se em desculpas foi buscar a lata das bolachas.

— Valha-me Deus, nem sei o que ando a fazer!

Sentados à mesa, serviram-se logo com apetite...

— Afinal, o que é que se passou? — perguntou o Pedro, com a boca cheia de bolachas de chocolate.

O Sr. Edgar resolveu então explicar-se:

— Ora vamos lá a ver... Quando nos separámos, na praia do Lagosteiro, fui direito à vila. Mas não descobri nada. Voltei então para o farol e encontrei um dos meus colegas a fazer a mala para se ir embora. Achei aquilo muito estranho, porque ele estava de serviço no dia seguinte. Perguntei-lhe o que ia fazer, e ele mostrou-se atrapalhado... então tive uma ideia.

— Que ideia? — interrompeu a Teresa.

— Espera, calma. Calculei que fosse ele

que estava metido com os bandidos, e que se preparava para fugir.

— E conseguiu segurá-lo? — perguntou a Luísa.

— Ah! Estas gémeas que não me deixam falar! Consegui, sim, mas tive de ser cauteloso. Não queria que ele desconfiasse de nada. Disse-lhe que tinha vindo um aviso a dizer para estarmos todos a postos porque chegava um inspetor de Lisboa.

— E ele?

— Ele ficou muito aflito, mas tentou disfarçar. Eu nunca mais o perdi de vista... convidei-o para jogar cartas, enfim! Arranjei maneira de estar sempre por perto. Por isso é que não vos fui procurar.

— Então e...

— Lá voltas tu a interromper! Aguenta! Quando vocês apareceram lá, de manhã, era ele quem estava comigo. Ele e mais o velhote que falou convosco. Lembram-se?

— Então já nos havíamos de ter esquecido?

— Pois. O velhote é o faroleiro mais antigo. Não falei com vocês e até fui bastante brusco...

— Se foi! — comentou a Luísa.

— Tinha de ser cauteloso. Não queria que ele desconfiasse de nada.

— E assim fez com que nós desconfiássemos de si! — disse a Teresa.

— Eu calculei isso, desculpem lá. Quando vocês saíram, a Luísa deixou cair um papel. Apanhei-o, li-o.., e então tive de agir!

— E o que é que fez?

— Olha, chamei o tal a uma despensa que há na sala das máquinas, e fechei-o lá dentro. Expliquei tudo em poucas palavras ao velhote e disse-lhe que fosse telefonar para a polícia.

— E como é que chamou a polícia marítima?

— Foi com aquela máquina que vocês viram. Enviei vários sinais de morse a pedir socorro, e depois corri para a praia. Ia cheio de medo que vocês estivessem em apuros!

— E estávamos! Oh! Se estávamos!

— Bom, a meio do caminho encontrei o João que vinha a correr para aqui com o *Faial* — acrescentou, afagando a cabeça do cão.

— E eu, quando o vi, fiquei à rasca — disse o João. — Não sabia se o senhor afinal era por nós ou contra nós...

— Eu percebi! Por isso te disse logo que a polícia marítima devia estar a chegar! ... E pronto, o resto da história já vocês sabem.

— Então e o seu colega? Ainda estará preso na despensa?

— Quanto a isso, sei tanto como tu. Se quiserem, venham comigo até ao farol para deslindar o resto da história.

— Ó Sr. Edgar, pela sua rica saúde veja lá o que é que arranja! — disse a avó, que não tinha vontade nenhuma de os ver sair outra vez.

— Esteja descansada! A rapaziada vai comigo e vai bem. Eu tomo conta deles.

— Eles que não se metam em mais nada! O que é que eu havia de dizer aos pais?

— Não há azar! Se eles quiserem vir comigo, eu tomo a responsabilidade.

Escusado será dizer que todos foram, depois de beijarem e abraçarem a avó, prometendo que não se metiam em mais nenhuma aventura... pelo menos naquele dia.

Capítulo 13

Quem diria?!

No farol reinava grande agitação. O homem já tinha sido levado, mas estavam ali dois polícias para interrogar o Sr. Edgar e saber pormenores. Os outros faroleiros estavam embasbacados. O velhote, sentado num banco, repetia constantemente:

— Estou aqui há tantos anos e nunca se viu uma coisa destas, palavra de honra!

Assim que entraram ali, atiraram-se a eles a fazer perguntas, falando todos ao mesmo tempo.

— Ó Edgar! Então que foi isto?

— Como é que descobriste?

— Esta miudagem ajudou?

— Mas quem são eles? De onde vieram?

O Sr. Edgar tentava responder-lhes, mas ninguém ouvia o que ele dizia. Foi um dos polícias quem acabou por pôr um pouco de ordem naquela barafunda.

— Alto lá! Calem-se todos, que agora quem faz perguntas sou eu.

Num primeiro momento o burburinho continuou, mas o polícia deu dois murros na mesa e finalmente fez-se silêncio.

O Sr. Edgar teve de repetir a história toda, enquanto os polícias gravavam as suas declarações.

Os outros faroleiros olhavam ora para ele ora para os miúdos, com admiração.

— Malta às direitas, sim senhor!

— Tão pequenos — disse o velhote —, quem havia de dizer!

Um deles avançou de mão estendida e fez questão de os cumprimentar.

— Parabéns! Muitos parabéns! Eu sou o Alberto e vocês já me conhecem... lembram-se quando vieram aqui para ver o farol? Era eu que estava a trabalhar na horta!

— E nós que desconfiámos do senhor! — riu o Chico.

— Como as coisas se passaram, dava para desconfiar de toda a gente! Mas afinal era o Zé...

— Como é que ele se justificou? — perguntou o Pedro.

— Bom, ele diz que não sabia do que se tra-tava. Que uns homens lhe pediram que indicasse umas grutas onde pudessem guardar mercadoria... — começou o polícia a explicar.

— Então ele julgava que era contrabando?

— Bom, ele não disse isso, mas acho que sim — concordou o polícia. — Ele devia julgar que se tratava de contrabando. Ele pelo menos jura que não sabia que era para esconderem um rapaz raptado...

Nesse momento olharam todos para o Paul. Este seguira a conversa sem perceber quase nada e agora, sentindo-se alvo das atenções gerais, sorria, embaraçado.

Um dos faroleiros riu-se para ele e disse:

— *Welcome! Welcome!*

Os outros gozaram-no:

— Ena, pá! Muito bem!

— Não sabia que falavas inglês!

— E não falo! Só sei dizer isto: «Bem-vindo, bem-vindo»!

— Então não havíamos de dar as boas-vindas ao rapaz? Quem sai daquele buraco onde ele esteve metido merece tudo e mais alguma coisa!

— E agora? — perguntou o Pedro aos polícias —, como é que havemos de fazer para contactar o pai dele?

— Ah! Não se preocupem. A polícia marítima já tratou disso.

— Já? — perguntaram todos ao mesmo tempo. — Mas como?

— O pai deste rapaz é milionário, sabem?

— Sabemos, pois, mas isso que tem?

BOUM!
ALTO LÁ!
CALEM-SE TODOS, QUE AGORA QUEM FAZ PERGUNTAS SOU EU

— Tem... que ele tem um iate. Quando lhe raptaram o filho, o homem ficou desvairado e preveniu a polícia. A polícia conseguiu descobrir apenas que ele tinha sido trazido para estas bandas, que os raptores tinham vindo aqui para o Sul da Europa... Portugal ou Espanha.

— E então?

— Bom, a polícia portuguesa e a espanhola já estavam avisadas e andavam a fazer investigações. Mas não se falava de nada para não «espantar a caça»... — continuou o polícia.

— E foi esta rapaziada que ajudou a deslindar tudo — comentou o mais velho dos faroleiros, passando o braço familiarmente pelos ombros do Chico.

— Fomos nós, e o Sr. Edgar — acrescentou a Luísa —, sem ele, nada feito!

— Mas, e então, o pai do Paul?

— O pai, quando soube que o filho estava nesta zona, meteu-se no iate e dirigiu-se para cá. A polícia já o avisou. Parece que ele ficou louco de alegria.

— Pudera!

O Pedro virou-se para o inglês, desejando transmitir-lhe a boa-nova. Mas conforme já lhe tinha acontecido, faltavam-lhe as palavras de que precisava para se explicar.

— Diz-lhe, vá — insistiam as gémeas.

— Como? Esqueci-me de tudo!

— Fala-lhe do pai, pai é *father*...

— *Your father*... — começou o Pedro.

Os olhos de Paul iluminaram-se. Iam dar-lhe notícias do pai, que devia estar tão aflito! Instintivamente deu um passo em frente e ergueu as sobrancelhas com uma expressão interrogativa.

— *Your father is on the way*...

Paul deu um salto e abraçou Pedro, cheio de alegria.

— O que é que ele lhe disse? — perguntou o João.

— Eu disse-lhe assim: «o teu pai vem a caminho» —, explicou o Pedro, orgulhoso.

E agora, o que vamos fazer? — perguntou o João.

— Agora... vão para casa ter com a vossa avó, que deve estar para lá inquieta. E juízo, hã? Não arranjem complicações pelo caminho — gracejou o Sr. Crispim.

Capítulo 14

O que se seguirá?

A avó, com efeito, estava nervosíssima.

Pensava e tornava a pensar no que lhes podia ter acontecido. Quando os viu chegar, ficou toda contente.

— Ai, ainda bem que já cá estão! Tenho estado aqui que nem sei...

— Estou estafado! — queixou-se o Pedro, deixando-se cair em cima de uma cadeira.

— E eu!

— E eu!

Todos lhe seguiram o exemplo.

— Vocês podiam ter...

— Pronto! Pronto! Não se fala mais nisso, já passou, passou!

— E acabou bem, é o que interessa.

— O que interessa é que eu não fico aqui nem mais um dia. Já telefonei ao pai do Pedro para nos vir buscar...

— Oh! Porquê?

— Ainda perguntam porquê? Toca mas é a arranjar as malas...

— O meu pai já sabe de alguma coisa? — perguntou o Pedro, um pouco receoso.

— Não! Isto eram lá coisas para se contarem pelo telefone! Quando ele chegar, vocês que expliquem tudo!

O Pedro, aliviado, seguiu os outros para arrumar a bagagem.

E, enquanto metia a roupa na mala, ia pensando na melhor maneira de contar ao pai que tinham resolvido deslindar um caso bicudo sozinhos... que tinha saído para o mar só com o Chico, que tinha passado a noite do temporal encafuado numa gruta... que se não fosse o faroleiro talvez eles todos agora estivessem presos pelos raptores...

Tão ocupado estava com os seus pensamentos, que não prestou mais atenção ao Paul, que se estiraçara na cama com ar exausto. O *Caracol* subiu para ao pé dele, farejou-o, lambeu-lhe a cara e anichou-se ao seu lado. O Paul enfiou os dedos nos caracóis de pelo branco, afagando-o carinhosamente.

— *Good dog! Good dog!*

Enquanto os outros rapazes giravam pelo quarto, adormeceu.

Entretanto, as gémeas, que já tinham tudo empacotado, apareceram à porta e encostaram-se à ombreira.

— É giro que se farta, não é? — perguntou a Luísa à irmã, em voz baixa.

— Se é...

— Esta a dormir, coitado!

— Achas que ele parece um príncipe?

— Príncipe... porquê?

— Pode ser. Em Inglaterra ainda há reis e príncipes. Ele é milionário, talvez seja da família real...

Um coro de gargalhadas interrompeu a conversa das gémeas, que ficaram vermelhas que nem um pimentão. Os três rapazes tinham ouvido tudo e surgiram na frente delas com grande alarido.

— Um príncipe! Não queriam mais nada?

— Ah! Ah! Ah! Que duas parvas!

— Entrem; minhas senhoras, entrem! — o Chico abriu a porta para trás e fazia-lhes sinal para que entrassem, às vénias. — Venham ver a oitava maravilha do mundo!

— Agora já não é a bela adormecida! Temos connosco o belo adormecido... — discursava o Pedro, com uma cara muito séria. — Se as senhoras quiserem experimentar dar-lhe um beijo na face...

— Que idiotas!

— Estúpidos!

Fizeram menção de se ir embora, mas o Paul acordou, estremunhado, com tanta algazarra e sentou-se na cama. Os rapazes pararam com aquela barracada.

— *Hello!*

É GIRO QUE SE FARTA, NÃO É?
ACHAS QUE ELE PARECE UM PRÍNCIPE?

— *Hello!*

O Pedro ainda se virou para elas e disparou entredentes:

— Vejam, só a nossa presença acordou a beldade, não foram precisos beijos...

— Que pena, não é? — arriscou o João.

— Olha o fedelho!

— Também se quer armar em bom, hã?

E as gémeas viraram costas e saíram para a rua.

Eles riram-se uns para os outros.

— *What's the matter?* — perguntou o Paul.

— Mau... lá voltamos à mesma! Por que é que não há de haver só uma língua em todo o mundo?

— Pois era, não era? Mas não há!

Com gestos, palavras soltas e gaguejos vários, o Pedro disse-lhe que não havia problema nenhum. E desafiou-o para irem dar uma volta pela aldeia, enquanto não chegava o carro que os havia de levar.

As gémeas, quando os sentiram aproximar, deram a volta à casa e esconderam-se nas traseiras.

— Vão passear, não queres ir?

— Não... eles que vão sozinhos!

Dialogaram, acocoradas de encontro à parede, sem se fitarem.

— Achas que o Pedro lhe disse alguma coisa?

— Não me parece. O inglês dele não dá para tanto, não te preocupes!

— Não estou nada preocupada!

— Não sejas mentirosa, Teresa...

— Não estou, palavra!

Apesar de dizerem o contrário, não sabiam como haviam de sair dali e juntar-se ao grupo. Receavam novas piadas e não sabiam também como responder!

A chegada dos pais do Pedro é que resolveu a questão.

Assim que avistaram a carrinha, acorreram numa agitação. A avó veio à porta, aflitíssima.

— Como é que eu vou explicar uma coisa destas?! Como?

O mesmo pensava o Pedro, com um sorriso amarelo.

Os pais saltaram da carrinha, um pouco ansiosos.

— Então? Então?

— Que foi isto? O que é que aconteceu?

— A avó pareceu-me tão inquieta ao telefone!

O casal olhava-os a todos, tranquilizando-se ao verificar que ninguém estava ferido.

— Quem é este rapaz loiro?

— Arranjaram um amigo? Que bonito rapaz — comentou a mãe.

As gémeas coraram violentamente e começaram a falar muito depressa, as duas ao mesmo tempo, para disfarçar.

— Foi uma aventura!

— Nós é que o salvamos!

— Nós, não é bem assim, houve o faroleiro!

— Tinha sido raptado!

— Raptaram um faroleiro? — perguntou o pai, estupefacto.

— Ele! Ele! — disse a Luísa, apontando Paul.

— Ele raptou um faroleiro? — repetiu o pai, olhando-o, incrédulo.

— Que ideia! Não!

— O faroleiro até ajudou.

— É.... ajudou muito!

Os outros meteram-se então na conversa, que se tornou ainda mais confusa.

— Nós descobrimos um preso...

— O faroleiro chamou a polícia...

— A polícia marítima.

— Ele tinha uma máquina de fazer sinais...

— Quem, o preso? — perguntou por sua vez a mãe.

— Não, o faroleiro!

— Mau! Assim não percebemos nada! Se falasse um de cada vez?

— E o preso? Já foi apanhado? — insistiu a mãe, olhando em volta.

— O preso era ele — disse o João, apontando para Paul.

— Mas agora está solto! Nós é que que o soltámos — disse o Chico, orgulhoso.

— Tenham paciência, mas assim não pode ser!

A avó avançou então para o meio do grupo:

— Façam favor de entrar! Lá dentro conversamos melhor, sim? Isto foi uma história como nunca vi...

Finalmente sentados na cozinha, explicaram tudo aos pais, que seguiram a narrativa, assombrados.

— Eu nem sei o que hei de dizer! — repetia a mãe, olhando alternadamente o filho e os outros todos.

— O que podia ter acontecido! Eu nem quero pensar! — dizia a avó.

— Que horror!

O pai interrompeu-as:

— Pronto, Maria! Acabou tudo em bem, é o que interessa. E, vamos lá, eles portaram-se à altura! Estou orgulhoso de vocês, de vocês todos! — acrescentou, sorrindo.

Mas as gémeas toparam que ele lançou um olhar especial ao filho...

Capítulo 15

No iate

O iate vinha a caminho. Ainda levava o seu tempo a chegar, o que todos lamentavam, pois ardiam em impaciência.

Paul instalou-se na casa de Pedro, por ser este que o entendia melhor. Era um companheiro impecável e todos gostavam muito dele.

Tinha-se conseguido um telefonema para bordo, a que assistiram, excitadíssimos. Não percebiam nada do que ele dizia, mas calculavam que estivesse a contar a sua aventura e a falar deles... sim, certamente falava deles também!

Ficou combinado que iriam todos levá-lo ao cais.

Quando chegou o dia, a excitação era mais que muita.

— É hoje! Nem acredito! — dizia a Teresa, saltitando ora num pé ora no outro.

— Vou adorar ver um iate por dentro!

— Vocês só pensam em coisas que não

interessam — disse o Chico, na sua maneira de falar um pouco brusca. — O que interessa é devolver o tipo ao pai!

— Claro, isso nem se fala!

— E tu, se calhar, não queres ver o iate!

— Ora...

— Bem, tu estás a partir do princípio que nos convidam para entrar — disse o Pedro.

— Era o que faltava que não convidassem!

— Bom, deixem-se de tretas e vamos, que já ali está o carro.

— É pena não podermos levar o *Faial*! — suspirou o João.

— O *Caracol* podia ir, é tão pequenino — propôs a Teresa.

— Ai, isso nem penses! Se o *Faial* não vai, o *Caracol* também não vai!

— Pronto, pronto! Não te zangues que não vale a pena.

Já a caminho, continuaram a falar pelos cotovelos sem prestarem atenção nenhuma ao que os outros diziam.

Mas, à medida que se aproximavam, foi-se fazendo silêncio.

Estava um lindo dia de inverno. Na baía muito azul, de águas mansas, estavam ancorados vários barcos.

«Qual deles será?», pensava a Luísa, cheia de curiosidade.

Paul não dissera uma única palavra em todo o caminho.

Logo que pararam, ele saltou para o cais e largou direito a um iate todo branco, enorme e lindo. Um homem imponente, alto e magro, já meio grisalho, parecia imobilizado ao cimo da escada. Assim que viu o filho, abriu os braços e ficou ali à espera, como se estivesse pregado ao chão.

Paul precipitou-se para ele e abraçaram-se com força, ficando muito tempo agarrados, sem nada dizer.

As gémeas tinham um nó na garganta. «Que alegria! Que alegria tão grande!» E, no entanto, receavam largar as duas a chorar!

Pedro fungou e limpou os óculos para disfarçar a comoção.

— Isto deve ter sido um pesadelo para eles — comentou.

— Então, agora acordaram, findou o pesadelo! — disse o Chico, olhando para todos os lados, tentando também disfarçar o que sentia.

— Olha, olhem ali... — João apontava uns carregadores que avançavam para o iate com embrulhos enormes.

— O que será aquilo? — perguntou a Luísa, contente por poder desviar a atenção para outra coisa menos comovente e embaraçosa.

— Devem ser mantimentos — alvitrou a Teresa.

— Eh! Eh! Com certeza! Mantimentos embrulhados em papel pardo — gracejou o Chico.

— Ah! Mas não te esqueças que elas acham que ele é um príncipe, os príncipes são assim! Só recebem batatas embrulhadas para presente.

— Vocês são mesmo parvinhos de todo!

Enquanto conversavam, Paul e o pai tinham desaparecido dentro do barco.

Um verdadeiro gigante ruivo descia agora as escadas em direção a eles, com ar jovial.

— Tudo bem com vocês? — perguntou, agitando-lhes os braços para baixo e para cima, num aperto de mão vigoroso.

As gémeas ficaram perdidas de riso.

— De onde é que saiu este brasileiro? — segredou a Teresa ao ouvido da irmã.

A resposta não se fez esperar.

— Eu sou o secretário particular de Lord Spencer...

— Ah! O pai do Paul chama-se Spencer? — disse o Pedro.

— E é lorde... — murmurou a Teresa fazendo um esgar como quem diz «ora toma».

Ele riu-se.

— É isso aí! Lord Phillip John Spencer. E eu sou o secretário dele e chamo-me James Crow.

— Então não é brasileiro?

Ele riu-se de novo.

— Não. Sou escocês. Mas falo sete línguas.

— Sete línguas?

— Nem mais! E já ando aprendendo a oitava... Um pouco de japonês!

— Japonês? Mas para quê?

— Lord Spencer tem negócios em todo o mundo! Me contratar para seu secretário precisamente porque eu falo muitas línguas...

— Mas por que é que fala brasileiro e não português?

— Boa pergunta, meu chapa! Português eu aprendi no Brasil! É a mesma língua. Só que tem outro sotaque... E agora, vamos entrando? — perguntou, fazendo um gesto largo e convidativo.

Seguiram-no para a escada do iate. Pedro cochichou ao ouvido das gémeas:

— Nunca vi um tipo tão alto na minha vida!

— E tem cá umas manápulas... — comentou o Chico.

— Olha só os pés, deve calçar 45...

— Cuidado, lembrem-se que este entende o que dizemos.

James não parecia no entanto prestar atenção nenhuma ao que diziam. Com duas passadas largas atravessou o convés direito a uma porta.

— Venham, por aqui!

Encantados, entraram numa pequena sala toda decorada com motivos relacionados com o mar.

As paredes estavam cobertas de quadros representando veleiros. Havia âncoras e boias em miniatura, uma estante metida na parede, cheia de garrafas de vidro com barcos lá dentro de todos os tamanhos e feitios, e instrumentos náuticos de vidro e em cobre muito polido.

— Que giro!

— Nunca pensei que isto fosse assim por dentro!

— Deve ser bestial passear numa coisa destas!

— Eu não sei, tinha medo de enjoar!

— Olha, Teresa, olha a mesa! Está pregada no chão.

— Claro! Com os balanços do mar, se não estivesse pregada, virava-se, com certeza.

O secretário ruivo tinha-os deixado ali sozinhos. Apareceu pouco depois com Paul e o pai. Via-se que estavam ambos muito radiantes, embora não se manifestassem muito.

Lord Spencer quis saber o nome deles e abraçou-os um por um, repetindo sempre.

— *Thank you! Thank you very much!*

Eles riam-se e balbuciavam frases sem nexo, embaraçados e radiantes também.

O secretário avançou então para o meio da sala, com ar solene:

— Lord Spencer quer oferecer um presente a cada um de vocês...

Um oh! de protesto soou imediatamente. Mas bastante frouxo.

— Não era preciso — murmurou o Pedro, confuso.

«Os pacotes que vimos entrar para o barco devem ser os nossos presentes», pensou o João, todo satisfeito.

— Ele lamenta não poder falar convosco mas não sabe português...

Olharam todos para o imponente lorde e acenaram com a cabeça, sorrindo, tentando fazer-lhe entender que também tinham pena de não poder conversar.

— Agora, o Paul vai trazer os presentes. Esperamos que gostem...

«O que será?», pensavam todos, sem nada dizer. Luísa deu uma cotovelada ligeira na irmã e piscou o olho ao João.

Paul saiu da sala e regressou empurrando uma magnífica bicicleta com faróis e mudanças. Dirigiu-se ao Chico e entregou-lha:

— *This is for you!*

Chico nem podia acreditar! Ao tempo que andava a juntar dinheiro para uma bicicleta, e agora ali tinha uma daquelas com que nem se atrevia a sonhar!

— Oh! Obrigado! Muito obrigado! — murmurou.

E segurando-a pelo selim ficou a olhá-la de alto a baixo, vermelho de satisfação.

— Esta bicicleta é para te deslocares mais

depressa, na próxima aventura... — disse-lhe ainda o secretário.

Riram todos, acenando novamente para o senhor que os olhava, enternecido.

Paul regressava agora ajoujado com uma bruta tenda de campanha.

Dirigiu-se ao João:

— *And this is for you!*

E colocou a tenda no chão.

— Que porreiro! Uma tenda! Vais fazer campismo!

Foi a vez de o João ficar encarnadíssimo.

Ajudado pelas gémeas, começou a puxar pela lona, tentando pôr a tenda de pé.

— Ena, que grande! Cabemos todos aí!

— E o *Faial*...

O secretário voltou a interrompê-los.

— Exato, Lord Spencer diz que da próxima vez que tiverem uma aventura, podem precisar de acampar.

— O Lord Spencer pensa em tudo — disse a Luísa, olhando o senhor com ar atrevido e bem-disposto.

O secretário traduziu o que ela acabava de dizer e ele achou piada. Fez-lhe uma festa na cabeça.

— *Funny girl!*

«O que será que nos vai dar a nós?», pensava a Teresa. «Oxalá não sejam coisas de menina, se forem coisas de menina, fico furiosa!»

Paul entrava nesse momento com duas caixas.

«Querem ver que são duas bonecas?», pensou a Teresa, assustada.

Mas não havia motivo para sustos.

De dentro das caixas saíram uns magníficos *walkie-talkies*.

— Isto é para poderem comunicar à distância! Podem falar uma com a outra a mais de quarenta quilómetros.

Chico assobiou, espantado.

— Mais de quarenta quilómetros! Safa...

— Acho que nunca estivemos tão longe uma da outra em toda a vida!

— Mas podemos vir a estar — respondeu-lhe logo a irmã.

Chegara a vez do Pedro. Paul estava na frente dele com um sorriso maroto. Estendia-lhe uma caixa quadrada.

«Que diabo será isto?», pensou o Pedro, abrindo a caixa, mas soltou um oh! encantado. Nas suas mãos estava uma máquina de filmar.

— Podes filmar até debaixo de água, que a máquina não se estraga — disse o secretário, e acrescentou — é para obteres «provas» contra os bandidos da próxima vez.

— O Lord Spencer parece ter a certeza que vamos ter mais aventuras — gracejou o Pedro, enquanto fazia girar a sua máquina nova.

— E o faroleiro? — perguntou a Luísa,

A PRÓXIMA AVENTURA? SERÁ QUE VAI HAVER MAIS AVENTURAS?
QUEM SABE? TALVEZ ATÉ SEJA NO CASTELO DO PAUL...

lembrando-se subitamente do Sr. Edgar Casaca.
— Ele também vai ter presentes?

O secretário riu-se e traduziu a pergunta.

— *Yes! Of course! Good girl!* — o velho inglês estava satisfeitíssimo.

— Podes ficar descansada que ele vai ser muito bem recompensado.

— Agora, de regresso a Inglaterra, passamos pelo cabo Espichel. Queremos agradecer também pessoalmente.

— Foi pena ele não ter podido vir aqui hoje, connosco.

— Pois foi, mas como ele não pôde vir cá, vamos nós lá.

Lord Spencer interrompeu-os e disse qualquer coisa que eles não perceberam, mas que James traduziu prontamente:

— Estão todos convidados para passar as próximas férias em casa do Paul. Vamos mandar-vos os bilhetes de avião, e fazer tudo para que sejam umas férias inesquecíveis... isto se os vossos pais concordarem.

— Concordam! Concordam! — responderam todos em coro, batendo palmas.

James riu e traduziu.

Paul então com um certo esforço dirigiu-se aos seus novos amigos:

— Eu... ir aprender português... aprender bem...

— Ah! Finalmente! — disse o secretário. — Sabem há dois anos que lhe quero ensinar línguas. O máximo que consegui foi algumas palavrinhas de francês... mas agora é ele que quer aprender. Isso é outra coisa!

— E nós vamos todos aprender inglês o melhor possível — garantiu a Teresa.

— O pior é que eu não tenho lá muito jeito para línguas — disse o Chico. — Tive sempre dois...

— Ora, deixa-te disso! Se te esforçares, se andares sempre a perguntar aos professores o que não percebeste...

— Para isso é preciso que eles estejam para me aturar.

— Ora! Eles até gostam! — disse a Luísa e, imitando a voz de uma professora, começou a declamar — «ai, o Francisco agora anda tão interessado»...

Foi uma risota.

— Bem, enquanto esperam pela próxima aventura, vamos almoçar, sim?

E o secretário encaminhou-os para outra sala.

— A próxima aventura! — disse o Pedro. — Será que vai haver mais aventuras?

— Quem sabe? — respondeu-lhe o secretário. — Talvez até seja no castelo do Paul...

— Uma aventura em viagem! Era sensacional!

Texto de Ana Maria Magalhães e Isabel Alçada
Ilustrações de Arlindo Fagundes

Os livros desta coleção, destinada a leitores com mais de 10 anos, além de estimularem o interesse pela leitura, representam uma abordagem particularmente leve e lúdica, mas rigorosa, da História. Os seus leitores referem com frequência o grande entusiasmo com que se deixaram levar para outras épocas, o muito que gostaram de conviver com personagens históricas, a solidez e persistência dos conhecimentos assim adquiridos.

Escreve às autoras de Uma Aventura

- Qual a tua opinião sobre este livro?

- E sobre as ilustrações?

As opiniões e sugestões podem
ser enviadas para:

fantastico@caminho.leya.com
umaaventura@leya.com